**Pictures présente**

L'édition originale de cet ouvrage, publiée par Disney Press, a paru
en langue anglaise sous le titre : « Toy Story ».
Adapté du film par Cathy East Dubowski.

A collaboré à cet ouvrage : Étienne Menanteau pour la traduction

Chapitre 1

Il est tout juste midi. Le vent chasse les bran-chages qui traversent la rue en rase-mottes. La ville retient son souffle…

Un cow-boy brun s'engage dans la rue. Ses éperons cliquettent : « Djing, djing, djing ». C'est le shérif. L'œil aux aguets, il s'arrête un instant, tous les sens en alerte, la main sur son revol-ver. Il est prêt à dégainer : qu'un hors-la-loi essaie seulement de semer la pagaille !

L'étoile agrafée à son uniforme scintille au soleil. Il porte dans le dos une espèce d'anneau en plastique blanc qui pendouille à une ficelle. À l'autre bout de la rue, un bandit un peu fou, M. Patate, le nargue, sourire aux lèvres.

D'une main, Andy, un petit garçon de 6 ans, attrape Woody le shérif, et de l'autre il tire sur l'anneau en plastique pour détendre le ressort.

« Les mains en l'air ! » menace Woody d'une voix éraillée.

Andy actionne de nouveau le mécanisme.

« Il y en a un de trop ici ! » déclare le représentant de la loi.

Andy, qui s'est fabriqué une ville du Far West avec un carton et des crayons de couleurs, saisit M. Patate par la tête et le fait sauter sur place.

« Tu ne m'auras pas vivant ! Tire si tu l'oses ! » s'écrie le bandit.

Lâchant M. Patate, Andy attrape alors le shérif. Woody tend le bras :

« Bang, bang !

— Aaah !!! Tu m'as eu ! Serpent à sonnettes ! »

Le gamin se précipite, s'empare de M. Patate et le serre contre lui, titubant dans la pièce et se cognant aux meubles, comme un homme blessé à mort…

Sa petite sœur Molly le regarde debout, derrière les barreaux de son berceau où est accroché un écriteau portant l'inscription « prison ».

Essoufflé, Andy s'appuie au lit d'enfant. Riant aux éclats, Molly en profite pour arracher le nez de M. Patate, tout en essayant de s'emparer de la marionnette.

« Rends-le moi ! Il n'est pas encore mort ! » crie-t-il.

Les deux enfants se disputent M. Patate à qui mieux-mieux. Andy heurte la table de nuit. La lampe de chevet vacille et la petite bergère qui est posée là perd l'équilibre.

Le shérif jette un coup d'œil à Andy. Celui-ci a le dos tourné. Tant mieux ! Les enfants n'ont pas besoin de savoir que les jouets s'animent...

Et hop ! Woody le shérif se précipite pour rattraper au vol la ravissante bergère juste avant qu'elle ne rompe son cou de porcelaine sur le sol...

Andy se retourne, serrant M. Patate entre ses mains. Il regarde autour de lui. Étendu sur le parquet, Woody, son jouet fétiche, arbore le même sourire plaqué que le jour où il l'a acheté. Le petit garçon le félicite d'avoir « abattu » si facilement son rival.

« Bravo, mon vieux ! En plein dans le mille ! »

Il l'empoigne et tire de nouveau sur la ficelle.

« Tu es mon meilleur adjoint », répète pour la énième fois Woody de sa voix mécanique.

Andy fonce dans le couloir. Il dépose Woody en haut de la rampe d'escalier, et vlan ! il le pousse. Il dévale ensuite les marches, en criant, pendant que le shérif glisse maladroitement le long de la rampe.

« Je t'ai eu ! » s'exclame-t-il en le récupérant au rez-de-chaussée.

Il l'assied sur son épaule, et puis il s'en va gambader à « OK Corral », que ses parents appellent tout simplement la salle de séjour.

Accompagné de Woody, il galope dans les grandes plaines juché sur un cheval fougueux que maman appelle son fauteuil réglable…

« Youpi, hurle Andy, super ! »

Pendant qu'Andy regarde ailleurs, Woody exprime sa joie. Ah ! quelle chance d'être son jouet préféré !

Soudain les yeux du petit garçon pétillent. Il lance Woody sur le canapé et se précipite vers sa mère. Le cow-boy en plastique atterrit sur le ventre, les quatre fers en l'air. Il est furieux. Qu'est-ce que cela signifie ? Il jette un coup d'œil à Andy et subitement son sourire se fige et tourne à la grimace. La panique le gagne. C'est épouvantable ! Un véritable cauchemar ! Le pire de tout pour un jouet ! Oui, cela va arriver… aujourd'hui !

Chapitre 2

Gonflés à l'hélium, des ballons de toutes les couleurs dansent au bout de leur ficelle, et des serpentins en papier ornent les murs de la salle à manger. Accrochée dans l'entrée, une banderole proclame :

BON ANNIVERSAIRE, ANDY !

Andy donne un coup de poing dans un ballon bleu attaché à une chaise.

« C'est génial ! »

Sa mère lui sourit :

« Je sais que ce n'est pas encore ton anniversaire, explique-t-elle en souriant, mais il vaut mieux le fêter avant le déménagement. »

Elle lui passe la main dans les cheveux.

« Va chercher Molly. Tes amis vont arriver.

– D'accord. »

Andy attrape au passage Woody, toujours affalé sur le canapé.

« C'est la fête, aujourd'hui ! » lance-t-il à tue-tête en montant dans sa chambre. Il tire une dernière fois sur l'anneau en plastique.

« On a empoisonné la mare », récite mécaniquement la voix enregistrée du shérif.

« Allez viens, Molly. »

Andy sort sa petite sœur de son berceau.

« Oh ! là là ! qu'est-ce que tu es lourde ! » ronchonne-t-il.

Il se retourne vers son vieux complice.

« À bientôt, Woody ! » dit-il par-dessus son épaule.

Et vlan ! il referme la porte d'un coup de pied.

Bon. Woody relève son chapeau de cow-boy, et se gratte le front.

« Qu'est-ce qu'il croit, dit-il d'une voix grinçante, que je suis un pantin ? ! »

Ainsi, Andy fête aujourd'hui son anniversaire ! Woody sait très bien ce que cela signifie : Andy va recevoir des jouets, des tas de nouveaux jouets... Tout beaux, tout nouveaux, bien rangés dans leurs boîtes, avec lesquels il va vivre plein d'aventures !

Contre le mur, un catcheur oublié depuis longtemps par le petit garçon colle l'oreille au parquet. Il lève le pouce en entendant s'éloigner Andy. Woody lui adresse un salut.

« Merci mon vieux. »

Le shérif regarde autour de lui : « C'est bon, il n'y a rien à craindre ! » lance-t-il à la ronde.

Silence. Personne ne bouge. On se croirait dans la forêt, quand les animaux se cachent à l'arrivée des chasseurs. Soudain, quelqu'un pouffe, puis l'on entend des chuchotements...

Alors, d'un seul coup, tous les jouets s'animent, et la chambre d'Andy se met à bourdonner comme une ruche. Il sort des petits personnages de dessous le lit, qui traversent la pièce d'un pas hésitant. D'autres sautent du coffre, ou bien dégringolent des étagères. Dans un concert de bavardages, de cris, de coin-coin et de sonneries, ils se rassemblent sur le parquet de la chambre.

M. Patate se redresse, l'air un peu égaré, car le malheureux est complètement démantibulé : depuis la dispute entre Andy et Molly, tous ses organes sont éparpillés autour de lui ! Il ramasse ses yeux, ses oreilles, son nez et sa bouche, les remet dans les trous qui parsèment son corps en plastique. Puis il s'approche de Bayonne, le cochon tirelire, gros, gras, rose et joufflu.

« Eh, tu as vu, c'est du Picasso ! » s'exclamet-il, hilare.

Comme dans un tableau cubiste, il a les membres dans tous les sens : évidemment, il les a remis n'importe comment...

« Comment ça ? » demande Bayonne qui ne saisit pas la blague.

M. Patate hausse les épaules.

« Espèce d'ignorant ! Autant donner du foie gras aux cochons... » grommelle-t-il tandis qu'il remet ses abattis à leur place.

« Et moi qui me fatigue pour ces gens-là ! » déplore-t-il en brandissant le poing.

Perché sur le lit, Woody s'adresse à un soldat en plastique vert qui monte la garde sur la table de nuit.

«Dites, sergent, avez-vous vu Zig Zag ?

– Non, chef ! répond ce dernier en se mettant au garde-à-vous.

– Bien, repos. »

Woody saute, atterrit sur le parquet en faisant tinter ses éperons.

« Eh, Zig Zag ! »

Pouf ! Deux pattes apparaissent sous le lit poussant à l'extérieur un damier.

Son fidèle compagnon, un chien qui marche en se dandinant (c'est pour cela qu'on l'appelle Zig Zag), sort tranquillement au grand jour, puis installe les pions.

« Je prends les rouges, dit-il.

– Non, Zig Zag.

– Comme tu veux. On commence ? »

Woody hoche la tête :

« Plus tard. J'ai de mauvaises nouvelles, lui glisse-t-il à mi-voix.

– De mauvaises nouvelles ! jappe Zig Zag.

– Chuuuut ! »

Woody lui met la main sur le museau pour le faire taire. Il jette un coup d'œil autour de lui. Deux ou trois jouets tendent l'oreille pour entendre ce qu'il raconte.

« Réunis tout le monde, chuchote-t-il, et ne fais pas cette tête-là !

– D'accord. »

Zig Zag s'éloigne en gambadant à travers la pièce. Au même moment, quelque chose se glisse sous le couvre-lit, c'est un serpent-jouet. Woody se penche et soulève le tissu. Il voit alors briller dans la pénombre les yeux de l'animal mécanique et ceux d'un petit robot.

« Assemblée générale ! annonce-t-il. C'est à votre tour d'installer le podium. »

Les deux compères sortent en grognant de leur cachette. On entend un grincement : ce sont les boutons de l'Écran Magique qui se mettent à tourner...

« Chiche que je te bats ! » lance Woody.

Un nouveau duel se prépare entre le shérif « le plus rapide de l'ouest » et l'appareil « qui dessine en un clin d'œil »... Lequel des deux va gagner ? Woody dégaine. Trop tard. Une fois de plus, l'Écran Magique a été le plus rapide. Sur le petit écran gris s'affiche le dessin du revolver qu'il vient de tracer en un éclair. Woody s'avoue vaincu.

« Tu m'as eu, encore une fois. Mais ce n'est pas juste, toi tu as eu le temps de t'entraîner ! » dit-il en riant.

Il se dirige vers le podium que le robot et le serpent-jouet sont en train de dresser avec des jeux de construction. Soudain, on entend un terrible rugissement : « Grrrrrrr ! » Woody se retourne, tranquillement.

« Tiens, Rex. Comment ça va ? »

Un tyrannosaure en plastique, qui n'a pas l'air bien méchant, lui sourit.

« Je t'ai fait peur, hein ?

Woody se racle la gorge.

– Euh, oui... J'ai bien failli partir en courant, ce coup-ci, réplique-t-il pour ne pas le vexer.

– J'essaie toujours d'effrayer les amis, soupire Rex en hochant sa tête couverte d'écailles, mais j'ai l'impression que je les ennuie plus qu'autre chose... »

Woody n'a pas le temps de lui répondre. Harponné par une houlette, il se sent tiré en arrière, et se retrouve nez à nez avec la Bergère...

« Ah ! c'est toi... »

La petite figurine, toute menue, papillote des cils et roule ses jolis yeux bleus.

« Je voulais te remercier de m'avoir sauvé la vie, murmure-t-elle d'une voix langoureuse.

– De rien. C'était la moindre des choses...

– Que dirais-tu si quelqu'un d'autre sur-veillait mes moutons à ma place ce soir ?

Woody rougit, de plus en plus intimidé.

– Souviens-toi que je n'habite pas loin », ajoute son amie.

Elle fend la foule et va s'asseoir au pied du podium, en lissant sa jupe à pois. Le cœur de Woody bat la chamade. Pendant ce temps-là, Zig Zag rassemble les jouets.

« Allez, allez ! Les petits devant ! »

Woody grimpe sur l'estrade. L'ambiance est tendue : que se passe-t-il ? Un mini-magnéto-phone s'installe à côté de Woody qui attrape le micro et souffle dedans pour le tester :

« Un, deux trois... Vous m'entendez ? Oui ? Parfait. »

Il jette un œil à son bloc-notes.

« Pour commencer, chacun de vous a-t-il trouvé quelqu'un avec qui faire équipe pen-dant le déménagement ? »

Tout le monde se met à parler en même temps.

« Je ne savais pas qu'il fallait chercher quel-qu'un, observe Rex.

– Eh ! Woody ! on devra se tenir par la main ? » demande M. Patate, sur le ton de la plaisanterie.

Les autres s'esclaffent.

« Je ne vois pas ce qu'il y a de drôle ! rétorque

le shérif. Je ne veux pas qu'un jouet manque à l'appel. Alors, dépêchez-vous de vous trouver un copain ou une copine. »

Il consulte ses notes.

« La réunion de mardi consacrée à la prévention de la corrosion des jouets en plastique a été un grand succès. Je tiens personnellement, à remercier M. Alphabet de son initiative.

– De rien », répond l'intéressé.

Woody regarde à nouveau son bloc-notes. Cette fois, la page est vide : il lui reste à annoncer la terrible nouvelle. Il est le shérif, le jouet préféré d'Andy. Cela ne comporte pas que des bons côtés. Les jouets ont le droit de savoir.

Chapitre 3

« Encore un petit détail à préciser, l'anniversaire d'Andy a été avancé. On le fêtera aujourd'hui, ajoute Woody en baissant la voix. Autre point, lance-t-il presque en hurlant...

– Holà, pas si vite ! intervient M. Patate. Qu'est-ce que cela veut dire ? Son anniversaire n'est pas aujourd'hui, mais la semaine prochaine !

– Sa mère a décidé de le fêter avant le déménagement. Pourquoi pas ? Je n'y vois pas d'inconvénient. Il n'y a pas de raison de s'inquiéter », affirme le cow-boy.

M. Patate se faufile jusqu'au pied du podium.

« Toi, évidemment, tu n'as pas de souci à te faire : tu as toujours été le chouchou d'Andy ! » s'exclame-t-il.

Apparemment, il n'est pas le seul de cet avis, à entendre les acclamations qui s'élèvent ici et là. Woody se sent pris au piège.

« Je suis d'accord avec Woody approuve Zig Zag : pourquoi dramatiser les choses ? Jusqu'à maintenant, il ne s'est jamais trompé. »

Woody saute du podium et se retrouve au milieu de ses amis, qu'il regarde droit dans les yeux, les uns après les autres.

« Il ne s'agit pas de savoir qui est son préféré, reprend-il, mais d'être là quand il a besoin de nous. »

Le silence retombe dans la pièce : les clochettes s'arrêtent de sonner, les mécanismes s'immobilisent, les petits personnages se taisent. Tous ont l'air un peu gênés. Évidemment, ce n'est pas toujours drôle d'être un jouet. Pourtant Andy est gentil avec eux, enfin, la plupart du temps et, de leur côté, ils l'adorent...

Bayonne, le cochon tirelire, prend soudain la parole.

« Excusez-moi de vous interrompre, mais... nos invités de trois heures sont là ! » claironne-t-il.

C'est la panique ! Woody tente de ramener le calme.

« Calmez-vous ! Restez où vous êtes... »

Peine perdue. Tout le monde se précipite vers la fenêtre. Le malheureux shérif est renversé et sauvagement piétiné. Il se redresse sur le coude et annonce faiblement :

« La réunion est ajournée. »

Personne ne l'entend. Tous ses amis sont maintenant devant la fenêtre, serrés comme des sardines : on se croirait devant une vitrine de jouets la semaine de Noël...

« Regardez-moi un peu tout ce qui arrive ! fait Bayonne.

– Je ne vois rien ! » proteste M. Patate.

Il sort les yeux de ses orbites et les tient à bout de bras au-dessus de sa tête.

Comme tous ses compagnons, il se fige d'horreur. C'est qu'il se passe, en bas, des choses épouvantables : une ribambelle d'enfants descendent de voiture, apportant chacun quelque chose de terrible... Oui, quelque chose d'effroyable !... Un cadeau d'anniversaire !!! Ils viennent chacun offrir un jouet à leur ami !

« Oh ! là, là ! Si ça continue, nous allons bientôt nous retrouver au grenier, soupire Bayonne.

– Y a-t-il un dinosaure dans le tas ? s'inquiète Rex.

– Comment veux-tu le savoir ? Andy n'a pas encore ouvert les boîtes », répond Bayonne.

Il n'empêche que Rex n'en mène pas large.

« Les cadeaux sont de plus en plus grands !

– Non, il y en a un, là-bas, qui est tout petit », corrige Zig Zag, en désignant un minuscule paquet que tient un garçonnet.

L'ami d'Andy leur fait face. Hélas ! dès qu'il

se tourne de côté, on s'aperçoit qu'il apporte en réalité un colis qui fait plus d'un mètre de long ! Les jouets sont consternés.

« Nous sommes perdus ! gémit Rex.

– C'est la fin ! » marmonne M. Alphabet.

Les jouets se répandent en pleurs et lamen-. tations. Woody pousse un grand soupir. La situation est en train de lui échapper ; il lui faut agir très vite avant que cela ne dégénère.

« Pas de panique ! Pas de panique ! » recommande-t-il.

Les jouets se tournent vers lui et sa gorge se serre. Il ne les a encore jamais vus en proie à une telle frayeur. Les plus vieux, ceux qui sont usés et qui ont des couleurs passées, sont complètement abattus.

« Allez-vous vous calmer si j'envoie une patrouille en reconnaissance ? interroge Woody en leur souriant affectueusement.

– Oui ! C'est promis ! » déclare Rex.

Le shérif reprend aussitôt les commandes. Il se dirige d'un pas décidé vers la table de nuit, en faisant claquer ses bottes sur le parquet.

« Sergent, ordonne-t-il, établissez un poste de reconnaissance au rez-de-chaussée ! Code Rouge. Vous savez de quoi il s'agit.

– À vos ordres, shérif ! »

Le sous-officier se laisse glisser le long d'un pied du meuble. Une fois en bas, il s'élance vers

une espèce de gros seau dont il ouvre le couvercle.

« Vous avez entendu, les gars ? Code Rouge !
Je répète, Code Rouge. Il n'y a pas de temps à
perdre ! »

Un à un, les soldats sortent de la « caserne ».

Chapitre 4

Craaac... La porte de la chambre d'Andy s'ouvre tout doucement.

Un soldat en uniforme vert s'engage à pas de loup dans le couloir au premier étage ; il est chargé de reconnaître le terrain. La voie est libre : il invite alors les autres à le suivre. Une dizaine de militaires s'avancent en file indienne. Ils transportent le matériel nécessaire à leur mission de renseignement : une corde à sauter et un émetteur emprunté provisoirement à Molly. Ils vont rapidement prendre position derrière les barreaux de la cage d'escalier. Le Sergent inspecte les environs avec ses jumelles.

Brusquement il recule, pour se cacher dans l'ombre, et fait signe à ses hommes de ne pas bouger : Mme Davis passe juste en dessous...

Les soldats s'immobilisent, observant de loin les évolutions de l'ennemi. Une fois le danger écarté, le Sergent donne l'ordre de repartir.

Un premier groupe s'avance jusqu'au bord du palier. Sans hésiter, les hommes sautent dans le vide. Leurs parachutes s'ouvrent, et ils atterrissent en douceur sur le parquet ciré. Ils vérifient qu'il n'y a pas d'ennemi en vue, puis ils font signe à leurs camarades de les suivre. À l'aide de la corde à sauter fixée à la rampe, ces derniers descendent en rappel.

Quand tout le monde est en bas, le commando se dirige vers la salle de séjour. Une porte s'ouvre, des pas se rapprochent... Une fois encore, tout le monde se fige et attend en silence.

Mme Davis n'est pas contente du tout de trouver des jouets sur son passage.

« J'avais pourtant dit à Andy de les ranger ! » s'exclame-t-elle en les apercevant, éparpillés sur le sol.

Mais la fête bat son plein, et elle n'a guère le temps de les ramasser. Elle se contente donc de les pousser du pied. Dès qu'elle a tourné les talons, les derniers soldats restés en haut rejoignent leurs camarades au rez-de-chaussée. Juchés sur l'émetteur radio, ils descendent eux aussi en rappel.

Le Sergent prend la tête de l'expédition. Mais le pied de Mme Davis a blessé l'un des parachutistes. Ce dernier fait signe de continuer sans lui. Pas question !

« Un vrai chef n'abandonne jamais ses hommes », déclare le Sergent en se portant à son secours.

Soudain, il lui fait signe de se taire. Chut ! Une véritable cavalcade vient dans leur direction...

Le Sergent traîne avec lui le soldat, et ils réussissent à se cacher derrière une plante verte, juste avant que deux pieds d'enfants n'apparaissent.

Pendant qu'un infirmier soigne le blessé, les autres mettent en service l'émetteur-radio. Le Sergent scrute le terrain avec ses jumelles et son visage s'éclaire : sur le guéridon de la salle de séjour sont empilés des tas de cadeaux. Il y en a tellement que cela monte presque jusqu'au plafond !

« Eh bien !... Il est gâté, Andy ! » lance le Sergent puis il s'approche de l'appareil :

« À vous, Mère Poule ! Ici Alpha Bravo !... »

En haut, dans la chambre d'Andy, Woody et ses amis sont rassemblés devant le récepteur :

« Ça y est, il entre en communication ! Plus un bruit ! lance Woody, surexcité.

– Ah, si cela pouvait être une Mme Patate, une Mme Patate... » chantonne M. Patate.

Rex lui jette un drôle de regard.

« J'ai le droit de rêver ! proteste l'intéressé.

– Chuuuuuut !

– Andy défait le nœud du ruban..., annonce le Sergent. Il déchire le papier d'emballage... C'est... c'est... »

Tout le monde retient son souffle.

«C'est un panier-repas !

– Un panier repas ! » répète Woody, soulagé. « Deuxième cadeau... »

Les jouets guettent la suite, le cœur battant. « On dirait... Oui, ce sont des draps !

– Qui a bien pu lui offrir une chose pareille ? » ricane M. Patate.

Pourtant, autour de lui on salue joyeusement la nouvelle. Le Sergent continue de décrire chaque cadeau, au fur et à mesure qu'Andy les déballe. Jusqu'à présent, il n'y a rien à craindre : on ne lui a pas encore offert le moindre jouet.

C'est tout de même bizarre. Woody se gratte le menton, de plus en plus intrigué par l'attitude des amis d'Andy. Pour des gamins, ils ont de drôles de goûts. À moins que ce ne soit leurs mères qui aient fait les achats à leur place...

« Et voici le dernier cadeau ! déclare le Sergent. Il est très gros, celui-là... »

Dans l'assistance, chacun croise les doigts (du moins ceux qui en ont).

« C'est un jeu de bataille navale ! Je répète, un jeu de bataille navale ! »

La nouvelle reçoit un accueil mitigé : certains sautent de joie, d'autres font la grimace. C'est bel et bien un jouet mais personne n'est menacé...

« Bon, tout est bien qui finit bien ! » s'exclame Bayonne. Il donne une telle tape dans le dos de M. Patate que ça lui arrache la tête !

« Oh ! Fais attention !

— Excuse-moi... espèce de tête de cochon !

— Vous voyez bien, dit Woody, il n'y avait pas de quoi s'inquiéter.

— Je savais bien que tu avais raison déclare Zig Zag. Je n'en ai pas douté une seule seconde. »

En bas, au pied de la plante verte, le Sergent félicite ses troupes.

« Mission accomplie. Bravo, les gars ! Tout s'est bien passé. Remballez le matériel, nous rentrons à la base ! »

« Andy ! Il y a une surprise pour toi ! » annonce alors Mme Davis.

« Stop ! » lance le Sergent à ses hommes, qui s'apprêtent à remballer l'émetteur.

Il vient d'oublier qu'avec les êtres humains rien n'est jamais joué et qu'il faut s'attendre à tout.

Inquiet, il regarde Mme Davis se diriger vers le placard, dans l'entrée.

« Qu'est-ce que c'est à ton avis ? fait-elle pour taquiner le petit garçon.

« – Allumez-moi cet appareil en vitesse ! » ordonne le Sergent en désignant l'émetteur.

Un soldat tourne le bouton.

« Attention, Mère Poule ! Message urgent ! appelle le sous-officier. La mère d'Andy lui a réservé un cadeau surprise pour la fin... Il est en train de l'ouvrir... Il s'agit d'un énorme paquet. Zut, il y a quelqu'un devant, je n'y vois plus rien ! »

L'enfant qui lui bouche la vue finit par changer de place. Le Sergent bafouille.

« Euh... C'est... Oh non !!! »

Le Sergent et ses hommes regardent, atterrés, le cadeau déballé. Ils restent bouche-bée pendant que les enfants hurlent de joie. C'est encore plus horrible que dans le plus terrible des cauchemars fait par un jouet.

Chapitre 5

En haut, dans la chambre d'Andy, les autres jouets attendent, morts d'inquiétude. Rex est particulièrement nerveux.

«Qu'est-ce que c'est ? Mais qu'est-ce que ça peut bien être ? » rugit-il en secouant la table de nuit.

Plaff ! Le récepteur tombe par terre. À l'arrière de l'appareil un panneau en plastique se détache, les piles sont éjectées.

« Oh ! non !

– Bravo ! espèce de gros lézard ! Comme ça, nous ne saurons pas de quoi il s'agit ! s'exclame M. Patate.

– T'es vraiment le roi, Rex ! »

Tout le monde se met à crier. M. Patate se précipite et essaie de réinstaller les piles.

« Non, pas comme ça ! l'arrête Woody. Tourne-les dans l'autre sens !

– Tu les mets à l'envers ! dit Bayonne.

– Mais enfin ! Plus c'est positif, moins c'est

négatif, intervient Woody .Laisse-moi faire. »

Il pousse Bayonne et M. Patate, insère les piles l'une après l'autre. Aussitôt, on entend la voix du Sergent :

« Alerte Rouge ! Andy monte à l'étage. Intrusion d'enfants ! Je répète, intrusion d'enfants ! Regagnez vos places !

– Andy arrive ! Que chacun retourne à son poste ! » lance Woody.

Les jouets s'éparpillent dans tous les sens, comme des souris apeurées.

« Où est mon oreille ? Quelqu'un a-t-il vu mon oreille ? » demande M. Patate.

Boum ! Rex bondit sur une étagère. Les pas se rapprochent. Woody fait un bond... La porte s'ouvre brutalement et heurte le mur.

Le shérif s'effondre, inerte, à sa place habituelle sur le lit, juste au moment où les enfants déboulent dans la chambre.

Ils sont surexcités, et parlent tous en même temps.

« Eh ! Andy, tu me le montres ?

– Wouah ! Génial ! Regarde un peu ces ailes ! Elles sont montées sur ressort ?

– Et là, tu as vu ce laser qui s'allume ? ajoute Andy. En garde, Zurg ! »

Woody jette un coup d'œil à la dérobée, pour essayer d'apercevoir enfin le mystérieux arrivant. Mais une bande d'enfants saute sur le lit et le repousse sans ménagement. Il essaie en vain de se raccrocher au couvre-lit. Lentement, il s'effondre à terre, totalement déprimé.

Ce n'est pas la peine d'être un génie pour comprendre qui vient d'entrer en scène : c'est un superbe et magnifique jouet...

Chapitre 6

« Vite, pousse-toi, que son vaisseau spatial puisse atterrir ! s'exclame un copain d'Andy.

– Regarde, quand tu lui appuies sur le dos il te fait une manchette ! »

Caché sous le lit, Woody, la mort dans l'âme, écoute les garçons s'extasier devant la petite merveille.

Il a mal au cœur et sa gorge se serre. Ce n'est pourtant pas le moment de se laisser aller. En tant que shérif et compagnon de jeu favori d'Andy, c'est à lui de remonter le moral des autres. Mais tout de même... Si au moins il savait à quoi ressemble le nouveau venu !

C'est alors que Mme Davis en personne vient à son secours. Elle appelle son fils :

« Andy ! Descends nous allons jouer maintenant. Il y a des tas de prix à gagner.

– J'arrive. Venez les gars ! »

Andy entraîne avec lui les enfants qui sortent en claquant la porte derrière eux.

Tout doucement, avec d'infinies précautions, les jouets s'animent et se dirigent prudemment vers le lit sur lequel se trouve posé le nouveau pensionnaire.

« Qui est-ce ?

– Oui, de qui s'agit-il, exactement ?

– Tu le vois, toi ? »

Couvert de poussière, le shérif sort de dessous le lit en éternuant. Zig Zag ouvre des yeux ronds.

« Ça alors ! Qu'est-ce que tu fabriques là-dessous ? »

Woody se redresse et époussette son jean.

« Euh... rien. Tout va bien, ne vous inquiétez pas. Andy était surexcité, voilà tout. Il a dû manger trop de glaces et de gâteaux.

– Il n'empêche que quelqu'un a pris ta place sur le lit, ricane M. Patate.

– Quoi ? Andy t'a remplacé ? ! sursaute Rex.

– Mais non ! Personne ne remplace personne », rétorque Woody en mettant son bras autour de l'épaule du tyrannosaure.

Pourtant, les autres n'en sont pas vraiment persuadés.

« Soyons polis, nous allons souhaiter à ce je ne sais pas quoi qui est là-haut, la bienvenue dans la chambre d'Andy ! » dit-il avec un large sourire.

Woody cherche à les rassurer. Mais en réalité il a des crampes d'estomac et il est mort de peur. Il s'approche du lit à pas de loup : il sera le premier à contempler leur nouveau camarade et Dieu sait ce qu'il va découvrir !

L'après-midi tire à sa fin. Le soleil rasant jette un éclat aveuglant et Woody met un certain temps avant de distinguer une silhouette. Il avance un peu et là... Waou !!!

Un gaillard comme il n'en a jamais vu est assis à sa place sur le lit ! Il est vêtu d'une combinaison spatiale ultramoderne, parfaitement articulée, au-devant de laquelle est fixé un tableau de bord vert équipé de boutons, de voyants lumineux et d'autocollants. La tête protégée par un énorme casque en plastique, il a l'œil vif, les sourcils arqués et le menton volontaire d'un aventurier.

Sous les yeux de Woody, ébahi, l'inconnu s'anime, appuie sur le bouton bleu fixé sur le devant de sa tunique.

« Bip, bip !... Buzz l'Éclair à Star Command ! Est-ce que vous me recevez ? À vous, Star Command ! »

Silence.

« Star Command, vous m'entendez ? Pourquoi ne répondent-ils pas ? » grommelle-t-il.

Il fait un pas en avant et s'arrête net. Woody suit son regard. Buzz l'Éclair contemple la boîte tout abîmée dans laquelle il était emballé.

« Oh ! là, là ! Il y en a pour des semaines de réparations ! » constate-t-il.

Fou de rage, il ouvre le boîtier d'une espèce de radio fixée à son poignet.

« Journal de bord, Buzz l'Éclair. Mon astronef s'est égaré en faisant route vers le secteur 9, et il s'est posé en catastrophe sur une planète étrange. Apparemment, c'est l'atterrissage qui m'a tiré de mon hyper sommeil. Le terrain n'a pas l'air très stable, poursuit-il en se dandinant sur le lit. Rien n'indique, sur mon écran de contrôle, si l'atmosphère est respirable. Et je ne vois aucune trace de vie intelligente.

– Salut ! lance Woody qui passe la tête à cet instant précis.

– Aaaah ! » s'écrie Buzz l'Éclair en s'abritant derrière ses bras.

Woody s'empresse de le rassurer.

« Je t'ai fait peur ? Excuse-moi mon vieux, ce n'était pas mon intention. »

Il tend la main à l'inconnu.

« Je m'appelle Woody, et là c'est la chambre d'Andy. Il se trouve que tu occupes, actuellement, ma place, sur le lit.

– Oh ! vous faites partie de l'autorité locale, coupe le Ranger en apercevant l'étoile de shérif. Il était temps que vous arriviez. Je me présente : Buzz l'Éclair, Ranger de l'Espace, service chargé de la protection de l'Univers. Suite à une erreur, mon vaisseau s'est posé ici en catastrophe.

– C'est en effet une erreur. Car tu m'as pris ma place », renchérit Woody.

Cela tombe apparemment dans l'oreille d'un sourd. Buzz l'Éclair se met à inspecter les lieux. Woody lui emboîte le pas.

« Il faut que je répare mes turbopropulseurs, explique le nouveau venu. Utilisez-vous encore des combustibles fossiles, ou bien avez-vous déjà découvert la cristo-fusion ? »

Woody ôte son couvre-chef et se gratte la tête.

«Euh, nous avons des piles électriques... »

D'un seul coup, Buzz l'Éclair plonge à plat-ventre sur le lit, entraînant Woody à sa suite.

« Halte ! Qui va là ? »

Les jouets escaladent tout doucement le rebord du lit.

« Ne tirez pas ! » hurle Rex.

Buzz l'Éclair se tourne vers Woody.

« Vous connaissez ces formes de vie, shérif ?

– Et comment ! Ce sont les jouets d'Andy. »

L'astronaute semble un peu rassuré.

« Bon, alors vous pouvez venir, vous autres », lance-t-il à la cantonade.

Il se relève et va à leur rencontre.

« Bonjour ! Je m'appelle Buzz l'Éclair, et je

suis animé d'intentions pacifiques ! » déclare-t-il sur un ton décidé.

Rex se précipite.

« Ah ! comme ça me fait plaisir que vous ne soyez pas un dinosaure ! annonce-t-il avec emphase, en lui serrant vigoureusement la main.

— Hein ? Euh, merci, répond Buzz, un peu déconcerté. Je suis très touché par votre accueil, mes amis. »

Rex contemple, littéralement fasciné, tous les boutons fixés sur le devant de sa combinaison spatiale.

« À quoi sert-il, celui-ci ? demande-t-il.

— Vous allez voir. »

Buzz appuie dessus.

« Buzz l'Éclair à la rescousse ! » récite une voix enregistrée.

Un murmure d'admiration s'élève dans l'assistance.

« Woody dispose d'un mécanisme analogue. Enfin, le sien est moins perfectionné, c'est une corde vocale..., observe Zig Zag.

— Oui, et même qu'il fait un bruit de casserole ! se moque M. Patate.

— Ce n'est pas comme le vôtre, qui est un système vocal de qualité supérieure, faisant appel à une technologie d'avant-garde. D'où venez-vous ? De Singapour ? De Hong Kong ? »

Surpris par la question, Buzz dévisage Bayonne, le cochon tirelire.

« Non, répond-il, je fais partie de la patrouille Gamma du secteur 4. En tant que membre du corps d'élite, chargé d'assurer la protection de l'Univers, je lutte contre l'empereur Zurg, qui cherche à prendre le contrôle des planètes regroupées dans l'Alliance galactique. »

Tout le monde l'écoute en silence.

« Ah ! vraiment ? Eh bien moi je viens de chez mon fabricant ! » plaisante M. Patate, en donnant le nom de sa marque de fabrique.

Maussade, Woody examine la boîte où était rangé Buzz l'Éclair. Sur un des côtés, un dessin le représente en train de débiter exactement le même discours qu'il vient de leur tenir !

Il ricane et rejoint la jolie bergère qui lui fait les yeux doux.

« On dirait qu'ils n'ont jamais eu affaire à un nouveau jouet !

– Oui. Il a plus de gadgets qu'un couteau suisse ! » renchérit-elle en haussant les épaules.

Leurs amis sont attroupés autour de Buzz l'Éclair, qui est traité comme une véritable vedette. Un robot avance timidement un doigt en direction d'un bouton rouge fixé sur sa poitrine. Buzz l'Éclair l'arrête d'un geste.

« Attention à toi, si tu mets en marche mon

rayon laser rouge, tu as intérêt à te pousser.

– Vous possédez un rayon laser ! » s'exclame M. Patate.

Il se tourne vers Woody :

« Comment se fait-il que tu n'en aies pas, toi ? lui demande-t-il, pour le faire enrager.

– Ce n'est pas un vrai laser, mais juste une petite lampe qui clignote », rétorque Woody, de plus en plus irrité.

D'ordinaire, il a bon caractère. Mais là, cela le rend furieux de voir les autres éperdus d'admiration devant ce vulgaire pantin !

« Nous sommes tous très impressionnés par ce nouveau jouet, dit-il, mais...

– Un jouet ? coupe Buzz l'Éclair.

– Oui, un jouet. J–O–U–E–T ! hurle-t-il, en épelant le mot.

– Non, il ne faut pas confondre : je suis un Ranger de l'Espace, corrige Buzz l'Éclair.

– Je vous trouve bien crispé, shérif, glousse M. Patate.

– Quelles sont exactement les attributions d'un Ranger de l'Espace, M. l'Éclair ? » s'enquiert poliment Rex, le tyrannosaure.

Woody lève les yeux au ciel. Décidément, ils sont tous devenus fous.

« Vous ne voyez pas qu'il vous raconte des histoires ? explose-t-il. Ce n'est pas un vrai Ranger de l'Espace. Il ne lutte pas contre les bandits, il n'a pas de laser, il ne sait pas voler...

– Détrompez-vous », réplique Buzz l'Éclair.

Ulcéré, il appuie sur un bouton. Des ailes se déploient alors à l'arrière de sa combinaison spatiale.

Chacun y va de son commentaire. Une fois de plus, Woody déplore la crédulité de ses amis. A-t-on idée d'être aussi naïf ! Il saisit l'une des ailes entre ses doigts.

« Mais enfin ! C'est du plastique moulé ! Il ne peut pas voler avec ça !

– Je suis désolé, mais elles sont en alliage composite, en terillium-carbone exactement, et grâce à elles je vole ! déclare fièrement Buzz l'Éclair.

– Mais non !

– Si.

– Allons donc !

– Je t'assure que je vole !

– Arrête de raconter des histoires !

– Et moi, je te répète que je peux voler les yeux fermés ! » martèle Buzz l'Éclair, qui commence à s'impatienter.

Cette fois, Woody en a assez. Puisque c'est comme ça, qu'il fasse une démonstration de ses talents, cette espèce de gros vantard en plastique !

« Bon, alors, prouve-le !

– Avec plaisir ! »

Buzz l'Éclair se dirige vers le bord du lit.

« Reculez, vous autres ! lance-t-il, les mains sur les hanches.

– Vers l'Infini et au-delà ! »

Et hop ! il saute dans le vide...

Sourire aux lèvres, Woody s'attend à le voir se casser lamentablement la figure sur le parquet. Vas-y, mon vieux, et bon débarras !

Boooong !

Le shérif se précipite et inspecte le sol. Rien. Il lève la tête et, là, il n'en revient pas ! Tombé sur un ballon en caoutchouc, Buzz l'Éclair rebondit puis se jette à nouveau dans le vide. Cette fois, il atterrit sur une petite voiture électrique, dévale la pente d'un circuit, fait un looping et quitte le véhicule... pour aller se percher sur un mobile et s'y balancer, comme un athlète, avant d'aller se poser en douceur sur le lit, juste devant Woody.

« Alors, je vole oui ou non ? » claironne-t-il.

Le shérif n'est pas dupe. Mais il est le seul à avoir compris ce qu'il s'est réellement passé.

« Grandiose ! siffle M. Patate.

– Vraiment impressionnant ! renchérit Rex.

– Eh bien ! je crois que j'ai trouvé celui qui va me tenir compagnie pendant le déménagement » déclare la Bergère, éblouie, comme tous les autres.

– Merci. Je suis très touché par votre attitude et celle de vos amis », confie Buzz l'Éclair, en prenant l'air modeste.

« Ce n'était pas voler, ça, mais tomber avec élégance », marmonne Woody, écœuré.

Bah, songe-t-il, d'ici deux ou trois jours tout rentrera dans l'ordre. Au fond, il n'a rien à craindre, puisqu'il est le jouet préféré d'Andy...

Chapitre 7

Ce matin-là, le pauvre Woody se réveille plein de courbatures. En plus, il est plongé dans le noir ! Il lui faut quelques secondes pour reprendre ses esprits...

Et tout à coup il sent la moutarde lui monter au nez. Cette fois, la coupe est pleine.

Il vient de passer une nuit épouvantable, couché dans le coffre à jouets ! Quelle humiliation ! Jusqu'alors, il avait toujours dormi sur le lit d'Andy.

Le shérif soulève le couvercle, avale une grande bouffée d'air pur. Machinalement, il porte la main à son chapeau, pour vérifier qu'il est bien en place. Stupeur, il n'est pas là !

C'est ce stupide requin en plastique qui le porte... Le farceur pointe le museau hors du coffre à jouets :

« Je suis un cow-boy ! un vrai cow-boy ! » lance-t-il, hilare.

Woody, qui n'a pas envie de plaisanter, récupère son couvre-chef et se le colle sur la tête. Il s'apprête à refermer le couvercle du coffre sur le museau du requin lorsqu'il s'arrête net. À l'autre bout de la pièce, Buzz l'Éclair, entouré d'admirateurs, joue les jolis cœurs. Il ne doit pas être bien fatigué, lui : il a passé la nuit sur le lit d'Andy !

« Apparemment, je viens d'être admis dans votre microcosme, confie-t-il à Rex et Zig Zag. Regardez... »

Il lève un pied et leur montre la semelle de sa chaussure sur laquelle Andy a écrit en lettres majuscules son propre nom au feutre.

Mal à l'aise, Woody examine à son tour la semelle de sa botte de cow-boy, pleine de poussière. Là aussi, Andy a jadis marqué son nom, mais d'une écriture maladroite, et l'inscription commence à s'effacer...

« Allons, courage ! » lui glisse une petite voix douce.

La Bergère lui sourit gentiment. D'habitude, cela suffit pour lui donner des frissons. Mais aujourd'hui elle semble avoir pitié de lui.

« De quoi parles-tu ? demande-t-il, en essayant de rester naturel.

– Andy est complètement fasciné par Buzz l'Éclair. Mais ne t'inquiète pas, tu comptes toujours beaucoup pour lui.

– Oui, au fond du grenier, ricane M. Patate.

« – Bon, maintenant ça suffit ! » gronde Woody.

Il commence à en avoir par-dessus la tête de toute cette comédie ! Combien de temps va-t-il se laisser marcher sur les pieds et traiter comme un moins que rien ? Le moment est venu d'avoir une petite explication avec Buzz l'Éclair...

L'astronaute a fait installer sa boîte, autrement dit son « vaisseau spatial », sur des cubes. Couché sur une planche à roulettes, il se glisse en dessous de l'engin pour effectuer les réparations nécessaires, assisté du robot et du serpent, tout fiers de rendre service à leur héros.

« Bande à souder unidirectionnelle ! ordonne-t-il.

– M. l'Éclair veut encore du ruban adhésif ! » lance le robot au serpent.

Mais Woody s'interpose. Fort mécontent, le shérif attrape Buzz l'Éclair par les pieds et le tire sans ménagement.

« Écoute-moi bien, espèce d'éclair au chocolat ! Je ne veux plus que tu t'approches d'Andy, c'est compris ? Il est à moi, et je ne laisserai personne me le prendre ! vocifère-t-il, menaçant.

– De quoi parles-tu ? »

Il se tourne vers le robot :

« Alors, cette bande à souder, ça vient ? »

Sans plus attendre, il se glisse à nouveau sous le vaisseau spatial. Une fois de plus, Woody le force à sortir à l'air libre.

« Encore une chose : arrête un peu de jouer la comédie de l'astronaute ! Ça me tape sur les nerfs.

Buzz laisse échapper un soupir.

– Désires-tu porter plainte auprès de Star Command ?

– Tu veux jouer le dur à cuire ?

– Et pourquoi pas ?...

– Vraiment ? »

Woody lui enfonce un index dans la poitrine et appuie sur un bouton vert sans le faire exprès. Le casque de Buzz s'ouvre tout grand :

« Ooooh ! »

Affolé, Buzz porte la main à sa gorge, tombe à genoux, puis s'effondre et roule sur le côté en se tordant, sans oser respirer. Il est en train d'étouffer, son visage bleuit légèrement.

Zig Zag et le robot se regardent, pas très rassurés. Woody, quant à lui, lève les yeux au ciel.

Finalement, Buzz avale, contre son gré, une grande bouffée d'air. Il attend quelques secondes, cligne des yeux, renifle puis vide ses poumons. Il ne s'est rien passé... L'astronaute n'en revient pas.

« L'atmosphère n'est pas toxique ! » s'exclame-t-il, stupéfait.

Il s'en prend alors à Woody :

« De quel droit te permets-tu d'ouvrir le casque d'un astronaute qui se retrouve échoué sur une planète inconnue ? La pression atmosphérique aurait pu me faire exploser la tête ! » gronde-t-il.

Il referme sa bulle.

« Minute, coco ! Tu te prends vraiment pour Buzz l'Éclair ? » interroge Woody.

Vexé, Buzz fait la moue.

« Moi qui croyais depuis le début que tu jouais la comédie ! Eh ! les amis, raille-t-il, c'est bien le véritable Buzz l'Éclair qui a atterri chez nous !

L'intéressé se racle la gorge :

— Tu te moques de moi, hein ?

— Allons donc ! pouffe Woody.

Soudain, sa voix se brise. Il roule des yeux effarés :

— Oh ! Buzz, un extraterrestre !

— Où ça ? demande l'astronaute en pivotant sur lui-même, prêt au combat.

— Je t'ai bien eu ! » pouffe Woody qui rit à gorge déployée.

Dehors, un chien aboie. Aussitôt, dans le plus grand silence, les habitants de la chambre se rassemblent et se figent, frappés de terreur. Un rire d'enfant leur parvient par la fenêtre ouverte...

« C'est Sid ! murmure Zig Zag.

– Je croyais qu'il était parti en colonie de vacances, balbutie Rex.

– Il a dû se faire renvoyer très vite, cette année » maugrée Bayonne.

Littéralement aimantés, les jouets s'approchent de la fenêtre. Buzz l'Éclair les écoute, perplexe.

« À qui s'attaque-t-il, cette fois-ci ? » demande M. Patate.

Woody grimpe sur le rebord de la fenêtre. « Je ne sais pas. Où est Lenny ? »

Une paire de jumelles pour enfant le rejoint en se dandinant. Le shérif s'en empare et observe ce qui se passe chez le voisin.

Dans le jardin d'à côté, un petit garçon vêtu d'un vieux tee-shirt à moitié déchiré s'amuse dans la cour jonchée d'objets. Il est flanqué d'un chien galeux qui creuse des trous dans la terre...

Ce garnement ne ressemble pas du tout à Andy. De la méchanceté et et de la cruauté se dégagent de tout son être. Il est d'ailleurs actuellement occupé à attacher une fusée de feu d'artifice dans le dos d'un malheureux soldat en plastique. Riant aux éclats, il allume la mèche...

« Oh ! non ! C'est Carl ! » grommelle Woody.

Intrigué, Buzz se poste lui aussi à la fenêtre.

« Que se passe-t-il, shérif ?

– Rien qui vous intéresse, Monsieur l'Éclair. Cela ne concerne que les jouets, réplique sèchement Woody.

– Laissez-moi voir, quand même. »

Il saisit les jumelles et inspecte la cour d'en face.

« Pourquoi a-t-on fixé une charge explosive sur le dos de ce pauvre militaire ?

Woody oriente les jumelles dans la direction du garnement.

– Voilà pourquoi. À cause du dénommé Sid Phillips.

– Cet enfant joyeux ?

– Non, ce n'est pas vraiment un enfant joyeux, coupe M. Patate.

– Il prend plaisir à torturer les jouets, explique Rex.

– On ne peut pas le laisser faire ! s'indigne Buzz l'Éclair.

– Oui, mais comment l'en empêcher ? demande la Bergère, en l'attrapant par le bras.

Buzz la repousse.

– Je vais donner une leçon à ce chenapan !

– C'est ça, oui. Désintègre-le avec ton rayon laser, raille Woody en appuyant sur le tableau de commande fixé sur sa poitrine.

– Attention ! Ça peut être très dangereux », proteste Buzz l'Éclair.

Bang !!! Une gigantesque déflagration déchire l'air. Woody et Buzz sont plaqués au sol. Des morceaux de plastique retombent en pluie autour de la maison. Un silence de mort s'abat sur le quartier, bientôt déchiré par le rire perçant de Sid.

« Ça y est, son compte est bon ! Tu as vu ça, Scud ! C'est génial, hein ! »

Les jouets sortent tout doucement de leur cachette et jettent un œil inquiet par la fenêtre. Scud, le chien, se précipite vers un petit cratère creusé dans le sol par l'explosion et attrape dans sa gueule ce qui reste du pauvre Carl...

Les jouets ont un mouvement de recul, puis détournent le regard.

« J'aurais pu l'empêcher de commettre ce forfait, déclare calmement Buzz l'Éclair.

– Je serais ravi de te voir pulvérisé, toi aussi ! répond Woody.

– Vivement que nous déménagions ! » soupire la Bergère, formulant tout haut ce que chacun pense tout bas.

Chapitre 8

La semaine s'écoule paisiblement. Ce soir-là, après avoir passé la journée à préparer le déménagement, la mère d'Andy décide de l'emmener une dernière fois dans son restaurant favori : Pizza Planète.

« Maman, je peux emporter des jouets ? demande Andy.

– Un seul ! »

C'est le moment de vérité pour Woody.

«Andy va-t-il me choisir ? » demande-t-il. à une boule de billard, censée prédire l'avenir. Il la retourne et lit en dessous : « N'y compte pas ! »

Ecœuré, Andy jette la boule qui traverse la pièce et plouf ! va se ficher dans un trou, derrière le bureau. Décidément, il joue de malchance !

Il épie Buzz l'Éclair, debout sur le bureau d'Andy, puis il examine le petit renfoncement visible entre le meuble et le mur, où a disparu la boule de billard. Elle est coincée au fond, à moitié cachée par des toiles d'araignée. Comment la sortir de là ?

Karting, la petite voiture téléguidée d'Andy, est garée de l'autre côté du bureau, tournée vers cet idiot d'astronaute. Un vilain sourire se dessine sur les lèvres de Woody. Il se précipite vers son rival :

« Buzz ! Buzz l'Éclair ! Nous avons des ennuis !

– Où ça ? »

Woody le conduit vers le bord du bureau.

« Là-bas. Un malheureux jouet sans défense est bloqué dans un piège.

– Alors, il n'y a pas de temps à perdre. » Buzz l'Éclair scrute la petite faille.

« Je ne vois rien.

– Pourtant, elle est là. »

Riant sous cape, Woody recule, attrape la télécommande et appuie sur le bouton. Les phares s'allument et luisent comme les yeux d'un insecte, le moteur ronronne...

Soudain, il se ravise, enfin presque... Jusqu'alors, il a toujours été un jouet modèle, honnête, gentil. Et voilà qu'un beau jour le dénommé Buzz l'Éclair débarque sans crier gare et bouleverse complètement sa vie ! Tout de même, cela ne lui donne pas le droit de se débarrasser de ce Ranger de l'Espace. Oui, mais le soleil couchant jette ses derniers feux, et la combinaison spatiale de l'astronaute brille de mille feux... Lui, en revanche, n'a pas l'air bien reluisant. Même son étoile de shérif, toute patinée, a depuis longtemps cessé de scintiller.

Il étreint la télécommande. La voiture démarre en trombe. Buzz l'Éclair se retourne. Il retient un cri, et a juste le temps de se pousser. Le véhicule percute un tableau d'affichage épinglé contre le mur. Les punaises tombent en pluie...

En s'effondrant, le panneau renverse une mappemonde, qui roule dans la direction du Ranger. Celui-ci prend ses jambes à son cou, et une fois encore il évite la catastrophe. À bout de souffle, il regarde par-dessus son épaule, et aperçoit à l'autre bout de la pièce, Woody en personne qui actionne la télécommande !

Le shérif comprend que Buzz l'a vu et lâche aussitôt l'objet. Mais c'est trop tard. La mappemonde poursuit sa course folle sur le bureau et heurte le pied articulé de la lampe qui décrit un arc de cercle. Woody réussit à l'éviter. Buzz l'Éclair n'a pas cette chance. Fauché par l'objet, il est carrément projeté dehors !

« Buzz ! » hurle Rex, en le voyant disparaître par la fenêtre ouverte.

Un instant sidérés, les autres jouets, qui n'ont pas suivi la scène, accourent. Woody s'accroupit au bord de la fenêtre, les mains sur les genoux, et inspecte la cour. Apparemment, il n'y a personne.

« Buzz ! »

Pas de réponse.

« Il n'est pas non plus tombé dans la rue, annonce Zig Zag. Peut-être a-t-il rebondi dans le jardin de Sid. »

Woody se sent de plus en plus mal à l'aise. Il recule. Sur le bureau, la voiture se met à vrombir.

« Qu'est-ce qui se passe ? demande Rex.

– Vrrrrr ! Vrrrrr ! »

M. Patate hoche sentencieusement la tête.

« Karting nous dit que ce n'était pas un accident.

– Comment ça ? interroge la Bergère.

– Eh bien, notre ami a été délibérément poussé dehors... par Woody ! affirme-t-il, en fusillant du regard le shérif.

– Attendez ! Vous ne me croyez quand même pas capable de faire une chose pareille, Patate ! proteste Woody.

– Monsieur Patate, s'il te plaît ! Eh bien si, nous t'avons vu à l'œuvre, espèce d'assassin !

– Mais enfin, je ne l'ai pas fait exprès ! Il faut me croire ! »

Le Sergent jaillit du seau où il est rangé avec ses hommes.

« Tu n'as plus aucun sens de l'honneur, misérable ! »

Pour toute réponse, Woody referme le couvercle et s'assied dessus.

M. Patate tourne autour de Woody, comme un procureur qui interroge un accusé au tribunal.

« Tu n'as pas supporté, dit-il, que Buzz te fasse de la concurrence et qu'il puisse être désormais le meilleur compagnon de jeu d'Andy. Alors tu t'en es débarrassé comme un malpropre ! Et si jamais Andy se remet à jouer régulièrement avec moi, tu vas me balancer par la fenêtre, moi aussi ?

– Mieux vaut ne pas tenter le diable. Nous ne pouvons pas nous permettre de courir ce risque », raisonne Bayonne.

Le Sergent repousse violemment le couvercle.

« Il est là ! Attrapez-le ! » lance-t-il à ses hommes.

Les soldats entourent Woody. M. Patate et Bayonne lui saisissent les bras.

« Non ! Je vais tout vous expliquer ! s'écrie Woody.

– Laissez–le tranquille ! » ordonne Zig Zag, sur un ton souverain.

Mais personne ne l'écoute.

« Qu'on le pende avec sa corde vocale ! » hurle M. Patate.

On entend alors Andy derrière la porte.

« D'accord maman, je redescends tout de suite. Je vais juste chercher Buzz. »

Le lynchage s'interrompt immédiatement. Chacun regagne sa place et reprend sa posture habituelle.

Andy entre dans la chambre et se dirige droit vers le bureau. Mais Buzz l'Éclair n'est pas là. Bizarre... Le petit garçon tire la chaise, se met à quatre pattes et regarde par terre. En vain.

« Maman, sais-tu où est passé Buzz ? » demande-t-il.

M. Patate se tourne vers Woody.

« Pssst ! »

Woody le regarde à la dérobée. Réfugié dans un coin, M. Patate tient à bout de bras l'Écran Magique, sur lequel est affichée une corde avec un nœud coulant...

Woody avale péniblement sa salive.

« Dépêche-toi, Andy, je m'en vais ! s'impatiente Mme Davis.

– Je ne trouve pas mon Buzz !

– Il ne doit pas être bien loin. Tu le chercheras en rentrant. Pour le moment, prends un autre jouet !

– D'accord. »

Faute de mieux, Andy attrape Woody par les jambes, et sort en courant.

Suspendu la tête en bas, Woody dévale l'escalier avec le petit garçon. Ce n'est peut-être pas une position très confortable, mais il ne fait pas le difficile. Il est enfin seul avec lui, comme avant !

Andy franchit d'un bond le perron, puis il traverse le jardin en courant.

Une petite tête surgit des buissons qui bordent la propriété : c'est Buzz l'Éclair !

Inutile de dire que ce dernier est fou de rage. Une véritable tempête solaire agite son crâne d'astronaute ! Mais personne ne le remarque, ni Andy, ni Woody.

« Je ne sais pas où Buzz est passé, dit tristement Andy, en grimpant dans la voiture. Pourtant, je suis certain de l'avoir laissé sur mon bureau.

– Il ne doit pas être bien loin. Tu le retrouveras tout à l'heure, mon chéri ! »

Mme Davis commence par asseoir Molly dans son siège de bébé, puis elle s'installe au volant et met le contact.

Buzz l'Éclair se précipite vers le véhicule qui démarre. Il réussit de justesse à sauter sur le pare-chocs arrière auquel il s'accroche. Woody ne perd rien pour attendre...

Chapitre 9

« Je peux t'aider à faire le plein ? demande Andy à sa mère.

– Si tu veux. »

Ils viennent de s'arrêter dans une station-service.

«Je te laisserai même conduire, ajoute Mme Davis.

– C'est vrai ?

– Oui, quand tu auras l'âge.

– Ah ! ah ! très drôle, maman... »

Andy ouvre sa portière et descend donner un coup de main à sa mère.

Couché sur le siège arrière, Woody est complètement désespéré. Certes, il a réussi à se retrouver tout seul avec Andy, comme autrefois, mais le cœur n'y est pas : car ce n'est pas lui que le petit garçon avait prévu d'emmener... Pire, il est maintenant brouillé avec les autres jouets. Comment leur faire comprendre qu'il s'agissait vraiment d'un accident ?

La mort dans l'âme, il regarde par le toit ouvrant les premières étoiles qui scintillent dans le ciel comme des lucioles.

Brusquement, une créature venue de l'espace apparaît dans l'encadrement : un minuscule astronaute qui lui jette un regard courroucé... Buzz l'Éclair !

Il saute sur la banquette. Le pauvre est couvert de brindilles, et il semble vraiment furieux !

Mais Woody n'y prend pas garde, tout content de le retrouver sain et sauf !

« Enfin, te voilà ! Si tu savais comme je suis content de te revoir ! Je suis tiré d'affaire, Andy sera ravi, lui aussi. Il te cherche partout ! Comme ça, à notre retour, tu pourras expliquer aux autres que c'était un accident. »

Buzz l'Éclair le fixe du regard, sans desserrer les dents.

«Oh, ça va, mon vieux ? demande Woody nerveusement.

— Je tiens seulement à t'informer que même si tu as essayé de me liquider, la vengeance est très mal vue sur ma planète. »

Woody pousse un « ouf » de soulagement.

« À la bonne heure ! dit-il en s'essuyant le front avec sa manche.

— Oui, seulement nous ne sommes pas chez moi », enchaîne Buzz l'Éclair.

Et sans plus attendre, il se jette sur son rival. Il s'ensuit une bagarre terrible au cours de laquelle les deux jouets glissent de la banquette, rebondissent sur le tapis et tombent par la portière ouverte.

Ils atterrissent sur la chaussée, roulent sous la voiture et continuent à se battre comme des chiffonniers au milieu des flaques d'huile. Buzz décoche à Woody un magistral crochet qui lui fait voir trente-six chandelles. Woody réplique en le bourrant de coups de poing dans le ventre et la poitrine ; les témoins lumineux se mettent à clignoter et à émettre des « bip » assourdissants...

Vlam ! Le bruit d'une portière qui claque les interrompt instantanément : Andy et sa mère sont remontés dans la voiture et s'apprêtent à partir.

« Prochaine étape...

– Pizza Planète ! » clame Andy.

Le moteur vrombit, le véhicule démarre et passe à quelques centimètres de l'astronaute et du shérif. Bras et jambes entremêlés, ils regardent les feux de position de la voiture disparaître dans la nuit...

Chapitre 10

Comment Andy a-t-il pu l'oublier ? C'est absolument incroyable. Woody court après le véhicule, mais avec ses petites jambes il n'a aucune chance de le rattraper... Il abandonne bientôt la poursuite, tout essoufflé.

« Il ne réalise donc pas que je ne suis plus sur la banquette ! »

La situation est vraiment tragique.

« Je suis perdu... je suis un pauvre jouet abandonné... » se lamente-t-il.

Derrière lui, Buzz l'Éclair ouvre le boîtier de la radio miniature logé dans son bras.

« Journal de bord de Buzz l'Éclair. Je me retrouve, avec le shérif, coincé dans une station de ravitaillement en carburant... »

Woody sursaute.

« Quoi ? ! Tu es là, toi aussi ?

– Selon mon infonavigateur, le... », continue Buzz sans se soucier de Woody.

Le shérif se précipite sur son rival. Tout cela

est sa faute ! On entend alors un terrible grondement, et le sol se met à trembler. Les deux combattants sont aveuglés par des phares puissants. Terrifiés, ils voient s'approcher un énorme camion-citerne ! Ils prennent leurs jambes à leur cou mais le véhicule est plus rapide qu'eux. Par chance, il s'arrête pile devant Woody, à un millimètre de son nez. Ils l'ont échappé belle... Les deux compères s'éloignent rapidement des roues gigantesques.

« D'après mon infonavigateur... commence Buzz, en parlant dans la petite radio fixée à son poignet.

– Ça suffit ! explose Woody.

– Voyons, shérif, ce n'est pas le moment de paniquer, rétorque son compagnon, toujours plein d'assurance.

– Ah ! tu crois ?! Je suis perdu dans la nature, Andy a disparu, sa famille et lui vont déménager dans deux jours, et tout ça, c'est de ta faute !

– De ma faute ? Dis donc, si tu ne m'avais pas balancé par la fenêtre...

– Ah oui ? Tu n'avais qu'à pas venir nous déranger, avec ton vaisseau spatial en carton-pâte, et me prendre tout ce qui me tient à cœur !

– Sans blague ! Sais-tu qu'à cause de toi l'Univers entier est en danger !

– Qu'est-ce que tu racontes ? »

Les mains sur les hanches, Buzz contemple le ciel étoilé.

« Aux confins de la galaxie, explique-t-il, l'empereur Zurg a mis au point, dans le plus grand secret, une arme terrifiante capable de détruire une planète entière. Je suis le seul à savoir comment la neutraliser. Et c'est le moment que tu choisis pour me faire rater mon rendez-vous avec Star Command ! »

Woody l'écoute, médusé. C'est incroyable : on a dû vendre au moins un million de copies de Buzz l'Éclair, et voilà que ce misérable pantin se prend pour le véritable héros de l'espace !

« Ça va durer longtemps, cette comédie ? Tu n'es pas le vrai Buzz l'Éclair. Tu n'es qu'un jouet, tu entends un J–O–U–E–T !

– Et toi, mon pauvre vieux, réplique Buzz, en faisant claquer sa langue, tu n'es qu'un pauvre type qui me fait pitié. Adieu.

– C'est ça, bon débarras ! » lance Woody en le voyant s'enfoncer dans la nuit.

« Mon rendez-vous avec Star Command. Qu'est-ce qu'il ne faut pas entendre ! » marmonne-t-il en lui tournant le dos.

Tut ! Tut !

Une camionnette s'arrête à la station-service. Un jeune homme en sort et demande des renseignements. Le visage du shérif s'épanouit en un large sourire car sur les flancs du véhicule, on peut lire l'inscription : Pizza Planète. Un camion de livraison !

Hourra ! Il ne lui reste plus qu'à s'installer dedans. Quand il aura fini sa tournée, le livreur reviendra au restaurant et, avec un peu de chance, Andy et sa mère y seront toujours. Woody se précipite, puis s'arrête brusquement : il ne peut pas pas se présenter devant Andy sans Buzz l'Éclair.

Il se lance donc à sa poursuite.

« Buzz ! Buzz ! reviens !

– Va-t'en ! répond ce dernier, sans ralentir.

– Je t'en prie, écoute-moi... »

Quelle tête de mule ! Comment le faire changer d'avis ? C'est alors qu'il remarque un lance missiles dessiné juste en dessous de l'inscription Pizza Planète... Son esprit ne fait qu'un tour.

« Buzz ! J'ai trouvé un vaisseau spatial, il nous attend, annonce-t-il.

– Où ça ? » demande Buzz, soudain intéressé.

« C'est gagné », pense Woody.

« Là ! »

Quelques instants plus tard, les deux jouets observent les environs, cachés derrière le garde-boue du véhicule.

« Tu es sûr que ce cargo de l'espace regagne sa base après avoir largué son chargement de nourriture ? interroge Buzz.

– Oui. Une fois là-bas, on trouvera bien le moyen de te réexpédier chez toi.

– Dans ce cas, allons-y.

– Montons à l'arrière, propose Woody. Comme ça, personne ne nous verra.

– Non. Il n'y a pas de harnais de sécurité dans la soute. Le cockpit est beaucoup plus sûr », affirme Buzz l'Éclair.

« Oui, mais... » intervient Woody sans pouvoir terminer sa phrase.

Le Ranger bondit, attrape le rétroviseur latéral, prend son élan et saute dans la cabine...

« Quel imprudent ! Il a une prétention sans bornes ! » s'énerve Woody qui court à l'arrière du véhicule, et se glisse à l'intérieur. Ouf ! Une fois qu'il a repris son souffle, il s'approche de la lunette pour regarder dans la cabine. Incroyable ! Buzz l'Éclair est tranquillement assis à la place du passager, l'air triomphant, comme un patron qui se fait conduire par son chauffeur... Heureusement, ce dernier ne peut pas le découvrir, car il est caché par une pile de cartons.

L'astronaute attache consciencieusement sa ceinture de sécurité, puis il se cale sur son siège, comme si de rien n'était.

Woody hoche la tête :

« On sera mieux à l'avant... Ah ! là, là ! Et puis quoi encore ? »

Buzz l'Éclair n'avait pourtant pas tort. En effet, le livreur démarre en trombe, projetant Woody contre l'arrière du véhicule. Il percute un tas de cartons avant d'apercevoir, horrifié, une grosse boîte à outils qui s'avance à toute vitesse dans sa direction. À moitié assommé, Woody pense à Buzz confortablement installé à l'avant !

Chapitre 11

Après avoir longtemps roulé dans la nuit noire, la camionnette ralentit et s'arrête dans un crissement de pneus. Buzz l'Éclair attend que le chauffeur descende pour regarder à l'extérieur.

Les voilà enfin parvenus à destination, c'est-à-dire à Pizza Planète. Un grand panneau « Aire de lancement » surmonte la porte.

Devant l'entrée, deux vigiles montent la garde, leurs lances entrecroisées.

« Entrez. Bienvenue à Pizza Planète », récitent-ils d'une voix mécanique. Très impressionné, Buzz ne réalise pas que ce sont simplement des robots animés ! Il fait le tour de la fourgonnette et fait glisser la vitre située à l'arrière. Tout est vide, il n'y a qu'une caisse à outils posée dans le fond.

« Shérif ? »

Un Woody à moitié sonné sort à quatre pattes de derrière la grosse boîte.

Andy ne jure que par Woody, qui est un peu le chef de file de tous les jouets de la maison.

Buzz l'Éclair va-t-il prendre sa place ?

Duel entre le shérif «le plus rapide de l'ouest»
et l'Écran Magique «qui dessine en un clin d'œil».

« Regarde, je vole! » dit Buzz l'Éclair à Woody, jaloux et dépité.

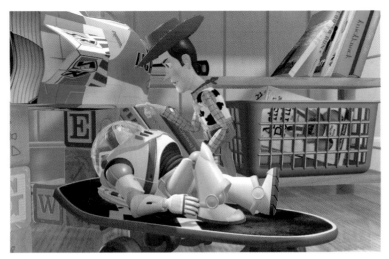

« Écoute-moi bien, espèce d'éclair au chocolat ! Je ne veux plus
que tu t'approches d'Andy, compris ? »

« De quel droit te permets-tu d'ouvrir le casque d'un
astronaute qui se retrouve coincé sur une planète inconnue ? »

« Attention ! Un extraterrestre ! »

Trop, c'est trop !

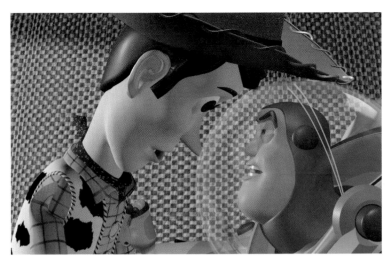

Lequel des deux triomphera ?

Woody et Buzz l'Éclair regardent la voiture s'éloigner.

Woody commet une erreur fatale...

Buzz l'Éclair vole au secours de Woody.

Woody et les jouets mutants s'apprêtent à libérer Buzz l'Éclair.

Sid a affaire aux jouets mutants. Bien fait pour lui !

« Trop tard, ils sont partis ! ».

« Vite, il faut rattraper Andy, car il sera triste sans nous ! »

« On a placé deux hommes en faction devant la porte. Il falloir trouver le moyen d'entrer. Tu as une idée ? lui demande-t-il.

– Attends d'abord que j'ai moins mal à la tête », répond Woody qui met du temps à reprendre ses esprits.

Quelques minutes plus tard, les deux gardes s'écartent pour laisser passer un adulte et deux enfants.

Au même instant, un petit emballage de hamburger et un gobelet en carton sautent d'une poubelle.

« Allons-y ! » lance le gobelet.

Dissimulés sous ces étranges déguisements, Woody et Buzz se précipitent vers la porte.

«Dépêchons-nous ! Le sas est en train de se refermer ! »

Une fois à l'intérieur, ils cherchent un endroit tranquille pour ôter leur costume. Buzz est sidéré, le hall est rempli de flippers et de jeux vidéo qui clignotent dans une rumeur assourdissante.

Woody inspecte soigneusement l'assistance à la recherche d'une tête familière. Soudain il l'aperçoit, là-bas ! Andy, oui, c'est bien lui : il est avec sa mère et la petite Molly qui dort tranquillement dans sa poussette. Il leur suffit de se cacher dans la voiture d'enfant, et le tour est joué ; ils rentreront ainsi à la maison incognito.

Woody s'approche à pas de loup, en faisant signe à son compagnon de le suivre. Mais Buzz l'Éclair a un autre plan en tête : trouver un vaisseau spatial qui se dirige vers le secteur 9.

« D'accord, il y a un vaisseau spatial là-bas, annonce-t-il en prenant Buzz par le bras.

– Il a l'hyper propulsion ?

– Oui, l'hyper propulsion hyper active, avec l'Astro Turf. Viens. »

Woody met le cap sur la poussette. Hélas ! Buzz l'Éclair ne tarde pas à lui fausser compagnie ! Médusé, il est tombé en arrêt devant le plus beau de tous les vaisseaux spatiaux jamais construits.

En réalité, c'est l'un de ces jeux où l'on peut gagner des cadeaux. Un genre de pêche miraculeuse si ce n'est qu'à la place de la canne à pêche on attrape les objets à l'aide d'une grosse pince.

Reste que l'engin ressemble bel et bien à un vaisseau spatial. Sur l'un des côtés se dresse une espèce de charpente en métal argenté qui ressemble à une tour de lancement. De la vapeur s'en échappe à intervalles réguliers, comme s'il allait décoller.

Buzz l'Éclair pousse un sifflement admiratif. Woody s'apprête à se glisser dans la poussette de Molly, lorsqu'il s'aperçoit que son compagnon a disparu. Où est-il encore passé ?

Le shérif rebrousse chemin. Brusquement ses cheveux se dressent sur sa tête : Buzz est ni plus ni moins en train d'escalader la tour de lancement !

« Oh ! non, ce n'est pas possible ! »

Mais il est trop tard pour l'en empêcher. Quelques secondes plus tard Buzz s'introduit à l'intérieur de l'appareil. Il atterrit au milieu d'une bande de petits personnages verdâtres, à la tête ronde et aplatie, avec trois yeux sur la figure ; des Martiens de fête foraine en caout-chouc...

« Un inconnu ! Il vient de l'extérieur ! » s'écrie l'une de ces étranges créatures.

Elles se mettent toutes à murmurer et à se tortiller.

« Bonjour ! Je m'appelle Buzz l'Éclair et je suis animé d'intentions pacifiques.

– Comment est-ce, dehors ? » demandent les petits hommes verts.

Râlant et pestant contre Buzz, Woody grimpe à son tour dans l'appareil. Plouf ! Il rebondit lui aussi sur le tas de « Martiens ».

« C'est une urgence intergalactique, déclare Buzz l'Éclair. Il me faut dérouter votre vaisseau vers le secteur 9. Qui est votre capitaine ? »

Les extraterrestres désignent une mâchoire métallique soutenue par un bras articulé.

« Le Grappin, explique l'un d'entre eux.

– Nous lui obéissons, reprend son voisin.

– C'est lui qui décide qui peut rester ici et qui doit partir », précise un troisième.

Woody lève les yeux au ciel. Ces énergumènes en caoutchouc vert pomme sont encore plus farfelus que le camarade l'Éclair, Buzz pour les intimes ! Et il va falloir leur marcher sur la tête pour aller récupérer l'autre cinglé !

Tout d'un coup l'appareil se met à trembler, sous les coups redoublés d'un être humain situé de l'autre côté de la vitre. Quel est le mauvais plaisant qui leur joue ce tour pendable ?

C'est le visage qui hante les cauchemars de Woody ! Le visage du voisin : Sid Phillips ! Eh oui, le petit voyou a le nez collé au hublot, et il tape dessus comme un malade !

« Quelqu'un actionne le Grappin !

– Vite, mets-toi à l'abri ! » ordonne Woody à son compagnon.

Sans plus attendre, il le plaque au sol. Cachés par les grosses têtes des Martiens, ils ne risquent pas d'être remarqués par Sid...

« Qu'est-ce qui te prend ? proteste l'astronaute.

– Chuuut ! »

Sid la terreur introduit des pièces dans l'appareil. Le mécanisme se met en marche.

« Le Grappin bouge ! » lance un Martien.

Le bras articulé se déplace au-dessus d'eux. Woody se fait tout petit. Les mâchoires s'ouvrent, puis elles plongent dans le tas de jouets... Woody ferme les yeux. Va-t-il donc terminer ainsi ? Comme un jouet de pacotille ?

« Je le tiens ! hurle Sid, en attrapant un Martien.

– Il m'a choisi ! s'écrie, fou de joie, le petit personnage en caoutchouc. Adieu, les amis ! Je vous quitte pour un monde meilleur !... »

Mais Buzz l'Éclair se retrouve maintenant bien en évidence au-dessus des extraterrestres. Sid l'aperçoit aussitôt, avant même que Woody ait le temps de réagir. Le sale gosse n'en revient pas. Comment se fait-il qu'un objet aussi précieux voisine avec des babioles ?

« Un Buzz l'Éclair ? Pas possible ! »

Il remet de l'argent dans la fente. Le bras se redresse et Sid le dirige en direction du Ranger.

Woody cherche désespérément un moyen de s'échapper. C'est alors qu'il remarque une trappe, qui doit servir à remplir l'appareil. Faute de pouvoir l'ouvrir normalement, il l'enfonce d'un grand coup d'épaule. Il attrape Buzz par les pieds et tente de le ramener vers lui. Trop tard ! Les mâchoires se referment et enserrent le casque de l'astronaute !

« Ouais ! » s'écrie Sid, fou de joie.

Woody essaie à nouveau d'entraîner Buzz à

l'extérieur. Mais les extraterrestres le poussent et le hissent vers le grappin.

« Arrêtez, tas de fanatiques ! rugit Woody.

– Il a été choisi ! constate une gentille petite créature.

– Ne t'oppose pas au Grappin ! » prévient son voisin.

Woody s'accroche à la jambe de son compagnon. L'instant d'après, ils sont tous les deux soulevés en l'air... Sid triomphe.

« Super ! Deux pour le prix d'un ! Pilote Sid, matricule 109. La mission de sauvetage a été menée à bien. Nous rentrons à la base ! »

Sans plus tarder, Sid se dirige vers la sortie.

Au passage, Woody aperçoit Andy. Il se demande avec angoisse si c'est la dernière fois qu'il le voit.

Chapitre 12

Depuis la chambre d'Andy, les jouets éclairent les buissons avec une lampe de poche.

«Je crois que je l'ai trouvé !» murmure Rex.

Mais ce n'est qu'un chat qui s'enfuit en miaulant...

« Va-t'en, tu nous déranges ! » ordonne le tyrannosaure.

Comme il n'y a personne à la maison, les jouets se sont lancés à la recherche de Buzz. Apparemment sans résultat.

Tout à coup des phares balaient l'allée ; ce sont Andy et sa mère qui reviennent. Rex se cache en vitesse. Moins peureux, la Bergère, M. Patate, et leurs amis restent attroupés devant la fenêtre.

Mme Davis descend de voiture et sort Molly de son siège d'enfant. C'est Andy qui les inquiète. Quelque chose ne va pas... Bizarre. D'habitude, il est tout content quand il revient de Pizza Planète...

Il inspecte la banquette arrière, puis se penche sous le siège avant. Rien.

« Tu n'as pas vu Woody ? demande-t-il à sa mère.

– Où l'avais-tu laissé ?

– Là, dans la voiture.

– Alors, il doit toujours s'y trouver. Tu n'as pas bien cherché.

– Non, il n'y est pas. Il a disparu ! »

Les jouets sont stupéfaits. La petite Bergère sursaute :

« Woody a disparu ?

– Il s'est enfui ! s'exclame Bayonne.

– Je l'avais bien dit ! Il est coupable, tiens ! Quand je vous disais qu'il avait fait exprès de pousser Buzz l'Éclair ! claironne M. Patate.

– Qui aurait bien pu le croire capable de telles atrocités ? » s'indigne Rex.

Les uns après les autres, les jouets s'écartent de la fenêtre. Seule la Bergère reste encore un moment, le regard perdu dans la nuit.

«Oh, Woody !... » murmure-t-elle avant de rejoindre les autres, très déçue.

Voilà pourquoi aucun d'entre eux ne voit Sid Phillips revenir chez lui à bicyclette, ramenant fièrement dans son sac à dos Woody, Buzz et le Martien.

« J'aperçois ton baraquement, shérif. Tu es tout près de chez toi », chuchote Buzz l'Éclair.

Tout excité, le minuscule Martien gigote et pousse des petits cris.

« Le nirvana approche... Le portail mystique m'attend ! s'extasie-t-il en se tortillant.

– Voulez-vous vous taire ? Vous n'avez pas encore compris, tous les deux, que si jamais nous mettons les pieds chez Sid, nous n'en sortirons pas vivants », marmonne Woody.

Arrivé devant sa maison, Sid descend de vélo et le laisse tomber par terre. Son sac à la main, il traverse la pelouse mal entretenue, puis se dirige vers la porte d'entrée, à la peinture toute écaillée.

« Oh non, il nous emmène chez lui ! »

On entend gratter et aboyer à l'intérieur... Dès qu'il franchit le seuil, Scud, un vilain chien, se jette sur la sacoche. Heureusement, il n'a pas le temps de la mordre, car Sid la tient à bout de bras.

« Couché ! »

L'animal s'assied, en grognant et en retroussant les babines.

« J'ai un cadeau pour toi... »

Woody se tasse au fond du sac. Sid y plonge la main et attrape le minuscule Martien qui ne se doute de rien. Le pauvre ! Une seconde après, on entend un hurlement... Sid l'a jeté en pâture à son chien.

« Allez, mâche-moi ça, Scud ! »

Et dire qu'ensuite ce sera leur tour !...

Dans le couloir, Anna, la petite sœur de Sid, assiste au spectacle en s'agrippant à sa vieille poupée défraîchie.

« Mon colis est-il arrivé ? demande Sid.

– Je n'en sais rien. »

Il plisse les yeux et lui arrache son jouet des mains.

« Pauvre Janie ! Elle est très, très malade... Il faut que je l'opère tout de suite, affirme-t-il, péremptoire.

– Non, ne la touche pas ! »

Peine perdue. Sid court s'enfermer dans sa chambre au premier étage et jette le sac sur le lit. Woody et Buzz l'Éclair en profitent pour passer la tête à l'extérieur. Le spectacle est affreux : la pièce sent le renfermé et il y règne un désordre indescriptible. Le lit n'est pas fait, des vêtements traînent un peu partout, ainsi que des assiettes sales et des objets épars... Rien à voir avec la jolie chambre d'Andy, toujours propre et bien rangée.

Woody pousse son compagnon du coude. Sid est occupé à placer la tête de la poupée dans un étau, puis il tire dessus. Hop ! elle saute ! Janie est décapitée...

Après quoi, il appelle sa sœur qui pleurniche dans le couloir, et la fait entrer.

« Tiens, je te la rends. »

Anna pousse un cri d'effroi. Sid a remplacé la tête de Janie par celle d'un ptérodactyle, un affreux reptile volant qui vivait à l'époque des dinosaures !

« Maman ! »

Elle s'enfuit en hurlant. Sid lui court après.

« Ne l'écoute pas, maman ! Elle raconte des histoires ! Je... »

Une porte claque.

Buzz l'Éclair quitte tout doucement le sac pour aller examiner les dégâts. Janie est allongée par terre, recroquevillée sur elle-même.

« Nous n'allons pas tarder à y passer, gémit Woody complètement abattu.

– Écoute, shérif... » commence Buzz.

Mais Woody a l'esprit ailleurs. Pressé de s'enfuir, il traverse le lit en courant et s'accroche à la poignée pour essayer d'ouvrir la porte. Cela ne marche pas ; évidemment, Sid l'a fermée à clé en sortant.

«Il doit bien y avoir un moyen de s'échapper d'ici », marmonne-t-il en se laissant tomber sur le sol.

Derrière lui, un petit bruit attire son attention. C'est un yo-yo miniature qui traverse la pièce en roulant, avant de se coucher sur le flanc... Une ombre lui passe sous le nez.

« C'est toi, Buzz ? » interroge-t-il, pas très rassuré.

Tapi sous le lit, quelqu'un le dévisage en clignant des yeux, puis s'approche doucement ; on distingue bientôt un visage. Woody pousse un soupir de soulagement en reconnaissant un baigneur. Sans doute est-il timide...

« Bonjour, toi ! Sais-tu comment on peut sortir d'ici ? »

La poupée apparaît au grand jour. Woody étouffe un cri : la tête de bébé est montée sur une espèce de corps d'araignée, bricolé avec des pièces de mécano !

L'étrange créature déplie alors ses immenses pattes métalliques et d'autres monstres aussi bizarres sortent de l'ombre. Ce sont vraiment des jouets incroyables, comme on n'en voit jamais dans les magasins, car aucun enfant n'en voudrait, enfin, aucun enfant normal...

Woody court se réfugier sur le lit derrière Buzz l'Éclair. Ahuris, ils voient alors le « bébé araignée » entraîner à sa suite Janie, la poupée défigurée. Un monstre emporte sa tête, tandis que deux autres tirent de toutes leurs forces sur le corps du ptérodactyle, tant et si bien qu'ils finissent par l'arracher.

« Ce sont des cannibales ! » constate Woody écœuré.

Il plonge au fond du sac à dos, vite rejoint par son compagnon, tout aussi terrifié que lui.

Buzz l'Éclair a tout de même la présence d'esprit d'appuyer frénétiquement sur un bouton.

« J'appelle Star Command ! Buzz réclame des renforts... Star Command, vous m'entendez ? »

Pas de réponse.

« En attendant qu'ils se manifestent, il va falloir nous débrouiller tout seuls », souffle-t-il en effectuant un ultime réglage sur son tableau de bord.

« Mon laser est désormais programmé pour tuer, et non plus seulement pour assommer les agresseurs, explique-t-il.

– Génial ! Comme ça, s'ils nous attaquent, on les clignotera à mort... » ricane Woody.

Chapitre 13

« Allô, contrôle opérationnel ? Paré pour l'essai du pilote ! » déclare Sid, revenu s'amuser avec Buzz et Woody.

Il met en route une perceuse électrique... Buzz l'Éclair, qui se sent visé, se fait tout petit. Il y a de quoi : il est ficelé comme un saucisson !

« Le Ranger dégage de la force gravitationnelle ! annonce Sid, en augmentant le régime. Alerte, alerte ! Il se désintègre ! »

Arraché à son point d'ancrage, Buzz l'Éclair est soudain projeté contre la cible d'un jeu de fléchettes, avant de s'effondrer sur le sol...

C'est alors que Sid remarque Woody.

« Oh ! un survivant ! Où se trouve la base des rebelles ? J'écoute ! rugit-il » en assenant une série de claques au pauvre Woody.

Il tire sur la cordelette que le shérif porte dans le dos, et une petite voix mécanique récite :

« J'aimerais bien participer aux recherches, mais je dois d'abord vous chanter une chanson.

– Menteur ! »

Sid le jette par terre.

«Nous avons les moyens de vous faire parler... » menace-t-il.

C'est le début de l'après-midi et le ciel est dégagé. Une loupe à la main, Sid filtre les rayons du soleil en les dirigeant directement sur la tête de Woody. Bientôt, une petite fumée s'élève du front du shérif...

« Alors, où se situe le campement des rebelles ? » demande le garnement avec un sourire sardonique.

« Sid ! Viens manger, ton poisson est prêt ! lance sa mère, depuis la cuisine.

– J'arrive ! »

Il lâche tout et quitte la pièce en courant. Brûlé au front, Woody pousse un cri, puis fonce se tremper la tête dans un bol de céréales ramollies à moitié plein de lait.

« Ohhhh ! » gémit-il.

Buzz examine sa blessure. Heureusement, elle n'est pas trop grave, et Woody s'en tire avec plus de peur que de mal.

«Je suis fier de toi, shérif. Quelqu'un de moins courageux aurait parlé », dit-il, en lui donnant une grande tape dans le dos.

Woody soupire et s'examine dans la cuillère, qui lui sert de miroir.

« Espérons que cela ne laissera pas de traces indélébiles... »

Subitement, un détail dans la chambre attire son attention.

« La porte, hurle-t-il, elle est ouverte ! Buzz, nous sommes libres !

– Mais nous ne savons pas ce qu'il y a de l'autre côté », objecte son compagnon.

Ils sont interrompus par la fameuse tête de bébé montée sur un corps d'araignée. Elle est suivie par d'autres monstres, tout aussi bizarres et effrayants.

« Ils vont nous manger ! Vite, fais quelque chose, Buzz ! supplie Woody.

– Protège-toi les yeux ! »

Buzz pointe son fameux rayon laser sur les jouets mutants.

BIP ! BIP !

Il ne se passe rien. Ça alors !

« Je ne comprends pas, s'étonne Buzz. J'ai pourtant rechargé les piles avant de partir. Normalement, ils devraient tous être désintégrés !

– Imbécile ! coupe Woody. Tu n'as pas encore compris que tu n'es qu'un jouet ! Utilise plutôt ton bras-karaté. »

Joignant le geste à la parole, Woody appuie sur un des boutons que l'astronaute porte sur le devant de sa combinaison.

« Qu'est-ce que tu fais ? Arrête ! » proteste Buzz l'Éclair.

Mais Woody ne veut rien savoir. Il pousse devant lui son compagnon qui fouette l'air en administrant des manchettes avec une régularité de métronome.

« Arrière ! » lance le shérif aux jouets mutants.

Les intrus battent en retraite.

« Désolé, les gars, mais ce soir, il faudra vous passer de repas », ajoute-t-il.

Sur ce, il lâche Buzz l'Éclair et s'enfuit en courant.

« Ah, la douceur du foyer... Il n'y a que chez soi que l'on est bien », chantonne-t-il en s'engouffrant dans le couloir.

Scud, le chien qui ronfle en bas de l'escalier, le stoppe net. Woody fait demi-tour lorsque Buzz l'attrape par le bras.

« Encore un coup comme celui-là, shérif, et nous y laissons notre peau.

– Tu en as de drôles ! Que proposes-tu à la place ?

– Chuuut ! »

Buzz lui fait signe de le suivre. Ils avancent à quatre pattes. Malheureusement, sans le savoir, Woody a coincé sa cordelette dans les barreaux de la cage d'escalier... Et au fur et à mesure de sa progression, la ficelle se tend davantage. Soudain, l'anneau se libère et le mécanisme se déclenche.

« Youpiii ! » lance la petite voix enregistrée.

Nos deux amis sursautent. Scud se réveille. Avant même d'ouvrir les yeux, il commence à grogner...

« Debout, l'ami ! » ordonne maintenant le système vocal intégré du malheureux Woody, qui ne peut rien faire pour l'arrêter.

Le chien grimpe l'escalier à toute allure.

« Séparons-nous ! » conseille Buzz.

Il se réfugie dans une pièce sur la gauche et Woody se barricade dans un placard rempli d'objets divers. En refermant la porte derrière lui, le shérif fait tomber par terre toute une pile d'objets.

Scud rôde, rôde devant la cachette, gronde et renifle le bas de la porte qui reste close. Penaud, il s'éloigne la queue entre les pattes.

Par la porte entrebâillée, Buzz observe la scène avec inquiétude et pousse un « ouf » de soulagement.

« Ici Star Command, j'appelle Buzz l'Éclair ! Répondez, Buzz l'Éclair ! »

Buzz se retourne brusquement ! Une voix d'homme l'interpelle à la télévision :

« Buzz l'Éclair ! M'entendez-vous ?

– Star Command ! » proclame Buzz qui ouvre aussitôt le boîtier de sa radio, mais il n'a pas le temps de répondre : un enfant l'a devancé !

« Ici Buzz l'Éclair ! Je vous reçois cinq sur cinq. »

Sur l'écran apparaissent deux petits garçons qui jouent dans leur jardin... avec chacun un Buzz l'Éclair en main !

« La planète Terre a besoin de vous !

– Buzz l'Éclair arrive ! » réplique l'un des gamins, en parlant dans la radio portative de l'astronaute.

Interloqué, Buzz s'approche un peu plus. Un autre enfant fait voler un second Buzz l'Éclair, encore emballé, qui se pose sur l'herbe. C'est exactement le même vaisseau spatial que celui qu'il a laissé dans la chambre d'Andy !

« Eh oui, Buzz l'Éclair, le plus grand héros de l'Univers, est aussi le jouet le plus fantastique ! » annonce le présentateur.

Buzz tique en entendant le mot « jouet ». Il veut fuir mais reste cloué devant l'écran : le personnage lui ressemble comme deux gouttes d'eau !

La publicité continue à vanter les mérites de Buzz l'Éclair, et les enfants font une démonstration en direct de ses différentes options :

« Chaque modèle est livré avec une radio fixée au poignet, un rayon laser, des mouvements de karaté intégrés, ainsi qu'un simulateur vocal doté de nombreuses phrases préenregistrées. »

La description correspond en tout point à la sienne... Buzz l'Éclair sursaute quand le jouet figurant sur l'écran déclare :

« Je suis en mission sur une planète inconnue ! »

C'est en tout point identique à ce qu'il raconte !

« Mieux encore, poursuit le présentateur, vous pouvez activer ses ailes spatiales à haute pression de... »

La télévision montre un Buzz l'Éclair qui survole apparemment une planète inconnue.

« Vers l'Infini et au-delà ! » s'exclame le héros.

Sauf que l'instant d'après, l'image se fige, et une inscription s'inscrit sur l'écran : CE JOUET NE VOLE PAS.

« Ce jouet ne vole pas, reprend le présentateur. Achetez votre Buzz l'Éclair dès aujourd'hui, et sauvez une galaxie près de chez vous ! »

Une autre voix ajoute : « Disponible dans tous les magasins de jouets. »

Bouleversé, Buzz l'Éclair se dirige vers le couloir en titubant. Il examine la petite radio fixée à son poignet et remarque une petite inscription à laquelle il n'avait jamais prêté attention : Made in Taïwan...

Il lève la tête, aperçoit une lucarne qui est restée entrouverte. Au loin, un oiseau s'élève gracieusement dans le ciel.

Les mots de Woody lui reviennent en mémoire :

« Tu ne peux pas voler ! Tu n'es qu'un jouet ! »

D'un seul coup, il se lève, l'air fier et déterminé. Alors comme ça, il ne peut pas voler ? On va voir ce qu'on va voir !

Il grimpe sur la rampe d'escalier, appuie sur le bouton qui lui permet de déplier ses « ailes spatiales », puis il vise la fenêtre et le coin de ciel bleu qui se découpe dans le mur.

« Vers l'Infini et au-delà ! »

Et hop ! il s'élance dans le vide... et tombe comme une masse sur le sol. PLAF !

Assommé, il reste un moment sans bouger. Il laisse échapper une plainte et roule sur le côté. Tout doucement, il ouvre les yeux.

Son bras droit est arraché...

« Bah, cela n'a aucune importance, songe-t-il. Après tout, je ne suis qu'un jouet. »

Désespéré, il gît sur le sol, ne réagissant même pas lorsque la petite Anna vient le chercher pour l'emmener dans sa chambre.

Chapitre 14

Entortillé dans une guirlande électrique toute poussiéreuse, Woody réussit tant bien que mal à s'extraire du placard.

« Buzz ? Où es-tu ? Filons d'ici ! »

La voix de l'astronaute résonne dans le couloir :

« Je suis en mission secrète sur une planète inconnue.

– Vraiment ? Oh, c'est passionnant », roucoule la petite Anna.

La porte de sa chambre est ouverte. Woody s'avance en silence et se faufile discrètement à l'intérieur.

Son compagnon se trouve là, mais dans quel état ! Le malheureux est en proie aux pires humiliations : Anna organise un goûter avec une ribambelle de poupées sans tête, assises autour de la table. Coiffé d'un chapeau de femme, d'un tablier à volants noué autour de la taille, Buzz papote avec ces dames en sirotant son thé !

« Oh, c'est très gentil de vous joindre à nous, Mme Leclerc », déclare Anna en utilisant le bras arraché de l'astronaute pour faire le service. Quel charmant ensemble, il vous va vraiment très bien ! »

Woody est horrifié. Pauvre Buzz ! Il faut le sortir de là le plus vite possible. Oui, mais comment ? C'est alors qu'il lui vient une idée géniale. Il descend l'escalier, ôte son chapeau, et, s'en servant comme d'une caisse de résonance, appelle la petite fille en imitant Mme Phillips.

«Anna ! Oh, Anna ! »

La fillette repose sa théière et lève la tête.

«Maman ? Excusez-moi, confie-t-elle à ses invitées, je reviens tout de suite. »

Pour toute réponse, Buzz l'Éclair s'évanouit et s'ecroule, tête la première, dans sa tasse de thé.

Anna quitte précipitamment la pièce sans remarquer Woody, dissimulé sous ses guirlandes.

« Qu'y a-t-il ? Maman, où es-tu ? » demande-t-elle.

Dès qu'elle a le dos tourné, Woody fonce vers son compagnon.

« Buzz, comment te sens-tu ? »

Il ramasse son bras arraché.

« Que t'est-il arrivé ? »

Buzz se dresse, raide comme un piquet, le regard vitreux.

« La vie est imprévisible... On se croit chargé de défendre l'Univers, et d'un seul coup on se retrouve à prendre le thé avec Marie-Antoinette et ses sœurs... »

Les poupées lui adressent un salut. Woody l'aide à se lever.

«Tu as bu assez pour aujourd'hui, mon vieux. Sauvons-nous en vitesse. »

Buzz l'Éclair l'attrape au collet.

« Tu n'as donc pas compris ? Je suis la reine d'Angleterre ! » lance-t-il en riant comme un fou.

Woody le secoue comme un prunier.

« Redescends sur terre, Buzz ! »

Il appuie sur le bouton qui commande l'ouverture de sa bulle en plexiglas, et lui administre une paire de gifles pour le réveiller. Après quoi il remet poliment son casque en place.

Le traitement semble réussir. Buzz l'Éclair retrouve peu à peu ses esprits.

«Excuse-moi, je suis un peu déprimé... » marmonne-t-il en hochant la tête puis il tombe à genoux et se met à sangloter.

« Je ne suis qu'un imposteur ! se lamente-t-il.

– Chuuut ! supplie nerveusement Woody .

– Regarde-moi ça : je suis incapable de m'envoler par la fenêtre ! En revanche, le chapeau me va bien au teint , tu ne trouves pas ? »

Woody fait glisser entre ses doigts les guir-landes lumineuses. Que faire ? S'enfuir par la fenêtre ?... Mais oui ! C'est tout bête. Il suffi-sait d'y penser.

Il regarde dans le couloir. La fenêtre de la chambre de Sid est ouverte, et elle donne sur la maison d'Andy !

« Buzz, tu es génial ! s'exclame-t-il. Allez, viens ! »

Buzz le suit d'un pas de somnambule.

« Toutes ces années d'entraînement pour rien... » soupire-t-il.

Au même instant, dans la chambre d'Andy, M. Patate et Bayonne jouent à la bataille navale. C'est Bayonne qui gagne. Il a déjà récolté le cha-peau et le nez de son adversaire, et il s'apprête à lui prendre sa moustache, ou peut-être car-rément sa bouche. Bien sûr, M. Patate est de fort méchante humeur ! Il a horreur de perdre la face...

À part ça, il ne se passe pas grand-chose depuis la disparition de Buzz et de Woody. La Bergère rêvasse, surveillant de loin ses mou-tons. Rex s'entraîne à faire des grimaces qui se veulent effrayantes. Roulé en boule, Zig Zag somnole et se dore au soleil.

Tout d'abord, personne ne remarque qu'on

leur fait signe et qu'on les appelle depuis la maison voisine.

« Eh, par ici ! »

M. Patate réagit le premier. Il se lève et se dirige vers la fenêtre.

« Ça alors ! Woody !... »

Bayonne n'en revient pas.

« Il est dans la chambre de Sid ? ! »

La Bergère sursaute.

« Sans blague ! » s'étonne Rex.

Ils se massent tous devant la fenêtre. Woody agite frénétiquement la main.

« Si vous saviez comme je suis content de vous revoir ! s'écrie-t-il.

— Je savais bien que tu reviendrais, affirme Zig Zag, toujours aussi fidèle.

— Qu'est-ce que tu fabriques là-bas ? demande la Bergère.

— Ah ! là, là, c'est toute une histoire... Je te raconterai. »

Il leur montre la guirlande lumineuse :
« Tenez, attrapez ! »

Avec l'aisance d'un cow-boy habitué à manier le lasso, il lance le câble vers la fenêtre d'Andy. Zig Zag le réceptionne adroitement.

« Bien joué, mon vieux ! Maintenant, attache-le à quelque chose.

— Pas si vite ! coupe M. Patate. Laissons-le se débrouiller tout seul.

90

– Hé ! s'écrie Zig Zag.

– M. Patate ! s'insurge la Bergère.

– Avez-vous perdu la mémoire ? Vous ne vous souvenez donc pas de ce qu'il a fait à Buzz l'Éclair ? Et maintenant, il veut revenir parmi nous ? ! »

Woody est abasourdi. Certes, M. Patate a toujours été un peu dur et sarcastique, mais de là à prendre parti contre lui...

« Détrompe-toi, se défend-il, Buzz l'Éclair est sain et sauf. Il se trouve là, tout à côté de moi.

– Menteur !

– Mais non ! »

Woody se tourne vers son compagnon.

« Buzz, montre-leur que tu es vivant ! »

Mais Buzz l'Éclair ne l'entend pas. Il est là, assis par terre, prostré, contemplant fixement son moignon. Avec un soupir, il arrache l'autocollant de la radio fixée à son poignet, et le roule en boule avant de le balancer dans la pièce.

Woody laisse échapper un grognement.

« Allez ! Je t'en prie, donne-moi un coup de main ! »

De son bras valide, Buzz lui jette celui qui gisait sur le sol.

« Ah ! très drôle... Ressaisis-toi, nom d'un chien !

– Woody ! Où es-tu ? » interroge Zig Zag.

Le shérif revient se mettre à la fenêtre. En face, ses amis commencent à s'impatienter. Que faire ? Il décide de leur jouer la comédie.

« Buzz ! Viens donc leur dire bonjour ! » lance-t-il d'un air faussement naturel.

À moitié dissimulé par le mur, Woody agite le bras arraché de son compagnon, pour faire croire à ses amis que c'est bien lui qui les salue.

«Bonjour, la compagnie ! Vers l'Infini, et au-delà ! proclame Woody en imitant la voix de Buzz.

– Regardez, c'est Buzz l'Éclair ! » s'exclame Rex.

« Ouf ! ça marche », se dit Woody, qui échange une poignée de main avec le bras cassé de l'astronaute. La ruse ne réussit qu'à moitié. M. Patate, toujours méfiant, trouve cela un peu louche.

«Il y a quelque chose qui cloche... observe-t-il.

– Vous voyez, nous nous sommes réconciliés ! lance Woody, tout sourire. Pas vrai, Buzz ?

– Oui, nous sommes les meilleurs amis du monde, répond ce dernier. Une fois encore, c'est Woody qui imite sa voix.

– Bien, maintenant, enchaîne Woody, en jouant son propre rôle, fixez bien la guirlande, que nous puissions vous rejoindre.

– Qu'est-ce que tu manigances encore ? » demande M. Patate, de plus en plus suspicieux.

Il repousse Zig Zag, toujours aussi crédule et prêt à aider son ami le shérif.

« Moi ? Rien du tout ! » réplique Woody en levant les bras au ciel.

Hélas, il commet ainsi une erreur fatale car il tient à la main le bras arraché de Buzz.

M. Patate sursaute, Rex se sent pris de nausée, la Bergère pousse un cri et se cache le visage dans ses mains.

Hébété, Zig Zag continue de regarder le shérif qu'il admirait tant.

« C'est absolument répugnant ! s'indigne Bayonne.

– Assassin ! » vocifère M. Patate.

Woody réalise alors qu'il a fait une gaffe. Il tente de se rattraper.

« Non, ce n'est pas ce que vous croyez ! Je vous jure que je suis innocent !

– Tu t'expliqueras devant le tribunal, réplique M. Patate. J'espère que Sid t'arrachera ta corde vocale ! »

Sur ce, il jette la guirlande par la fenêtre. Elle tombe devant la maison, brisant quelques ampoules au passage.

«Non, ne partez pas ! supplie Woody. Je vous en prie, aidez-moi. Vous ne pouvez savoir ce que j'endure, ici ! »

Inutile d'insister, plus personne ne l'écoute. Un à un, ses anciens amis s'écartent de la fenêtre. Seul reste Zig Zag.

« Écoute-moi ! » lance Woody.

Mais au bout d'un moment, lui aussi se détourne et rentre dans la chambre...

« Non, Zig Zag, reviens ! ZIG Z AG !!! » supplie le shérif.

Ses cris sont étouffés par le grondement d'un orage qui approche...

Chapitre 15

Tout seul à la fenêtre, abandonné par ses amis, Woody se demande bien comment il va pouvoir revenir chez Andy.

Il se sent tellement déprimé qu'il en arracherait presque l'autre bras de Buzz l'Éclair, qui ne l'a pas beaucoup aidé jusque-là. C'est alors qu'il entend un drôle de bruit sur le sol.

Horreur ! les jouets mutants attaquent Buzz l'Éclair ! L'espèce de bébé à corps d'araignée s'empare de son bras posé sur la moquette.

Woody vole à son secours.

« Allez-vous-en, bande de cannibales ! »

Il saisit le bras que le bébé monstrueux tient dans sa bouche et tire dessus de toutes ses forces. Pour tout résultat, il perd l'équilibre et se retrouve projeté à l'autre bout de la pièce.

Les mutants s'agglutinent autour du malheureux Buzz qui reste complètement amorphe.

« Il est encore vivant, et je ne vous laisserai pas le dévorer, sales monstres ! » rugit Woody.

Il repart à l'attaque, bouscule les horribles assaillants et tente de rejoindre son compagnon.

Quand finalement il y parvient, il constate, à sa grande surprise, que Buzz l'Éclair a retrouvé son apparence initiale.

« Hé ! Buzz ! Ils t'ont remis à neuf ! » proclame-t-il, sidéré.

Buzz l'Éclair n'est pas le moins surpris. Interloqué, il se frictionne le bras. Woody aperçoit Janie, la poupée défigurée par ce chenapan de Sid, et réalise qu'elle aussi a récupéré sa tête...

Il se retourne alors vers les monstres, mais ceux-ci prennent la fuite, persuadés qu'il va de nouveau s'en prendre à eux.

Qu'est-ce que tout cela signifie ?

Il n'a pas le temps de trouver la réponse : Sid revient. Il l'entend derrière la cloison.

Woody attrape Buzz l'Éclair pour le mettre en sécurité. Mais ce dernier le repousse, et continue à fixer obstinément le sol.

« Bon, d'accord. Si ça t'amuse de te faire esquinter par Sid, c'est ton problème mais ne viens pas ensuite te plaindre ! »

Buzz l'Éclair est couché au milieu de la pièce quand la porte s'ouvre.

Woody se cache en vitesse dans un casier en plastique posé à l'envers. Il a juste le temps de se glisser à l'intérieur avant l'arrivée de Sid.

« Ah ! enfin, le voilà ! » braille le garnement en brandissant un colis.

Il déchire l'emballage. À l'intérieur se trouve une fusée de feu d'artifice portant la mention : SUPER GÉANT. Une notice explicative précise : « Engin extrêmement dangereux. Ne pas laisser à la portée des enfants. »

L'œil mauvais, il inspecte les jouets qui jonchent sa chambre.

« Qu'est-ce que je vais bien pouvoir faire sauter ? Où est passé ce cow-boy à la noix ? »

Du revers de la main, il balaie tout ce qui encombre son bureau pour retrouver Woody, qui a mystérieusement disparu. Son regard s'arrête alors sur Buzz l'Éclair. Il ramasse l'astronaute, prend sa caisse à outils et l'installe sur le fameux casier (pauvre Woody, il tremble comme une feuille morte !) avant de l'ouvrir. Pendant quelque temps, le shérif l'entend s'activer, sans savoir exactement ce qu'il fabrique. Au bout du compte, Sid prend du recul et laisse échapper un rire sardonique. Brrrr !

Woody retient un cri : Sid a fixé la fusée de feu d'artifice sur le dos de Buzz l'Éclair !

« Jusques aux confins de l'Univers, et plus loin encore », claironne l'énergumène.

Une boîte d'allumettes à la main, il s'apprête à sortir.

BA–DA–BANG !

Un coup de tonnerre retentit, suivi d'une averse diluvienne qui gifle les carreaux.

«Hum... »

Sid ne se laisse pas démonter pour autant.

« Ici Sid Phillips. En raison des conditions météorologiques, le lancement de la navette a dû être reporté. Pour demain, en revanche, on prévoit un ciel dégagé ! » annonce-t-il, l'air radieux.

« Fais de beaux rêves », susurre-t-il méchamment à Buzz l'Éclair qu'il dépose sur le bureau.

Avec un sourire fielleux, il règle son réveil-matin et l'installe tout contre lui.

Dans la maison d'en face, Mme Davis souhaite bonne nuit à son fils. Andy a eu beau fouiller sa chambre de fond en comble, il n'a pas réussi à mettre la main sur Woody et Buzz l'Éclair. Et pourtant, depuis qu'il s'est couché, il s'est au moins relevé dix fois...

« Tu te rends compte, si jamais ils restaient là ! dit Andy à sa mère.

– Ne t'inquiète pas. Tu les retrouveras demain avant de partir. »

Il soupire tristement.

Plus tard, après qu'il se soit endormi, la Bergère l'observe tendrement. Il dort d'un sommeil agité, en se retournant sans cesse dans son lit.

« Ah, Woody, si tu savais comme tu lui manques ! » murmure-t-elle en considérant la caisse qui porte l'inscription : « jouets d'Andy ».

La Bergère est inquiète. Demain, c'est le grand jour, ils quittent définitivement cette maison. Et ni Woody, ni Buzz ne seront là pour les accompagner.

Chapitre 16

Derrière les barreaux de son casier-prison, Woody contemple Sid. Filtrée par les carreaux détrempés, la lumière des réverbères projette sur son visage des ombres fantastiques.

Sur le bureau, Buzz l'Éclair, qui ne se prend plus pour un héros, reste inerte, la fusée collée sur le dos. Woody l'appelle :

« Pssst ! Eh, Buzz ! »

Pas de réponse. En désespoir de cause, Woody lui jette des pièces de monnaie ramassées par terre. L'une d'elles rebondit sur sa bulle en plexiglas.

« Approche-toi, chuchote Woody, et essaie de me sortir de là ! »

Buzz le dévisage, hébété.

« Qu'est-ce que tu as à me regarder comme ça ? Ce n'est pas de ma faute si tu n'as pas voulu te cacher quand Sid est revenu. »

Son compagnon se contente de baisser les yeux.

Woody enrage et, comme un singe, secoue les barreaux de sa cage. Pourvu que Sid ne se réveille pas !

Celui-ci se retourne dans son lit en murmurant des propos confus où il est question d'un poney... mais il continue à dormir. Ouf !

« Bon, reprend Woody, je suis désolé, je n'aurais pas dû te laisser tout seul, sans défense devant Sid. Mais tu ne m'as pas beaucoup aidé, reconnais-le. »

Buzz demeure sans réaction, comme un jouet dont les piles sont usées.

« Écoute, j'ai besoin de toi pour sortir d'ici. Je t'en prie, aide-moi.

— Non, je ne peux pas, je ne peux aider personne... », répond Buzz, d'une voix éteinte.

Enfin, il retrouve la parole ! C'est déjà un bon signe, pense Woody.

« Allez, sors-moi de là, et de mon côté, je te débarrasse de cette fusée. Ensuite, nous filons chez Andy.

— Bof, être chez Andy ou chez Sid... Tout cela revient au même.

— Tu veux rire ! La vérité, c'est que tu as reçu un coup sur la tête et que tu n'as pas encore retrouvé tous tes esprits.

— Mais non. Je n'ai jamais eu, au contraire, les idées aussi claires. C'est toi qui avais raison : je ne suis pas un Ranger de l'Espace, mais un simple jouet, minable et sans intérêt...

– Il vaut bien mieux être un jouet qu'un Ranger de l'Espace.

– Ben voyons...

– Évidemment ! Regarde, fait le shérif en désignant la fenêtre qui donne sur la maison d'Andy. Là-bas, il y a un petit garçon qui te trouve absolument génial, non pas parce que tu es un Ranger de l'Espace, mais parce que tu es un jouet, son jouet ! »

Buzz contemple toutes ses composantes en plastique, ainsi que l'autocollant aux couleurs fanées de son tableau de bord.

« Pourquoi voudrais-tu qu'Andy tienne autant à moi ?

– Parce que tu es Buzz l'Éclair ! N'importe quel jouet ferait n'importe quoi pour être à ta place. Tu as des ailes, tu clignotes, tu parles, ton casque s'ouvre en faisant « chuiiit ! » Bref, tu es un jouet formidable ! »

Woody ne sait pas s'il a remonté le moral de son ami. En revanche, cela contribue à le convaincre qu'il ne vaut pas grand-chose comparé à Buzz.

« Tu es imbattable, ajoute-t-il. Personne ne peut rivaliser avec toi ; pas même moi. Que veux-tu que je fasse à part débiter des sornettes ? »

Woody tire sur sa corde « vocale ».

« Il y a un serpent dans ma botte ! » récite-t-il mécaniquement.

« Tu crois vraiment qu'Andy a envie de jouer avec moi, maintenant que tu es là ? C'est moi qui devrais être attaché à cette fusée ! »

Woody jette un coup d'œil à la fenêtre. La pluie a cessé, le jour va bientôt se lever, et pas n'importe lequel : celui du déménagement. Ce soir, Andy sera parti, définitivement...

« Bon, écoute, conclut-il, ne t'en fais pas pour moi. Sauve-toi pendant qu'il est encore temps. »

Mais lorsque Woody lève les yeux, Buzz l'Éclair n'est plus là.

Chapitre 17

Tout à coup, la « cage » se met à trembler. Woody se cramponne et il regarde en l'air. Buzz, avec sa fusée d'artifice sur le dos, est monté sur le casier pour essayer de faire basculer la caisse à outils dans le vide.

« Qu'est-ce que tu fabriques ? Je te croyais...

– Allons, shérif, il y a en face un enfant qui a besoin de nous. En attendant, il faut que je te sorte de là », répond l'astronaute.

Ils se mettent donc à la tâche, chacun de leur côté.

Le soleil chaud et radieux se lève ; la journée va être superbe. Bref, tout s'annonce pour le mieux. C'est alors que l'on entend le bruit tant redouté : celui du camion de déménagement qui se gare devant la maison des Davis...

« Dépêchons-nous, Buzz ! Il n'y a plus de temps à perdre. »

Appuyé contre le mur, Buzz l'Éclair pousse de toutes ses forces la boîte à outils avec ses pieds. Hourra, elle bouge ! Malheureusement, elle s'accroche au bord du casier.

Patatrac !

D'un seul coup, le casier et la boîte à outils s'écroulent, entraînant Woody dans la chute.

Par chance, Sid n'entend rien et continue à ronfler paisiblement.

« Woody ! murmure Buzz. Tu n'es pas blessé, au moins ? »

Un peu choqué, mais sain et sauf, le shérif émerge d'une pile de scies, de pinces et de marteaux.

Driiiiing !

Le réveil sonne ! Sid se redresse brusquement, ouvre un œil et s'apprête à écraser le malheureux réveil avec un marteau, quand son regard tombe sur Buzz l'Éclair.

« Ah oui, c'est vrai !... »

Il repousse les couvertures et détruit le réveil, histoire de s'amuser. Puis il s'empare du pauvre Buzz avec sa fusée attachée sur le dos, et quitte la pièce en coup de vent.

Woody se lance aussitôt à sa poursuite. Hélas ! il ne va pas bien loin. Dès qu'il met le nez dehors, il tombe sur Scud, l'horrible cabot, qui guette dans le couloir.

Il referme précipitamment la porte. Tremblant, Woody entend le molosse aboyer et gratter de l'autre côté de la cloison...

« Que faire ? réfléchit Woody. Il faut absolument que je trouve une idée. »

Tout doucement, sans faire le moindre bruit, les jouets mutants sortent de leur cachette. Pour Woody, c'est une aubaine !

Il claque des doigts.

« Hé, les amis ! »

Ils s'enfuient dans tous les sens.

« Non, attendez ! Écoutez-moi, je vous en prie ! Il y a en bas un jouet innocent qui va être réduit en poussière, et cela à cause de moi. Nous devons absolument le sauver ! »

Il leur fait signe d'approcher.

« J'ai besoin de votre aide. »

Pas un bruit.

« C'est mon seul ami... »

Le bébé à corps d'araignée sort de sa cachette. Il siffle : un à un, ses compagnons apparaissent et viennent se placer autour du shérif.

« Je crois, dit Woody, que j'ai trouvé le moyen de le tirer de là. Si ça marche, tout le monde ici y trouvera son compte. »

Chapitre 18

Woody examine le plan de la maison des Phillips.

« Bon, écoutez-moi tous. Voiture-balai, tu te places ici, et toi Gambettes... »

Une minuscule canne à pêche montée sur des jolies jambes de poupée s'avance nonchalamment.

« Tu fais équipe avec K-nar, dit-il en désignant un petit canard en plastique avec un torse de bébé posé sur une ventouse. Voiture-balai et moi, enchaîne-t-il, nous attendrons le signal pour entrer en action.

– Coin-coin ! acquiesce K-nar.

– Bien. Allons-y ! »

Empilés les uns sur les autres, leurs comparses forment une espèce de colonne appuyée contre la porte, moyen ingénieux leur permettant d'accéder à la poignée...

De leur côté, K-nar et Gambettes démontent le grillage d'une bouche de chauffage. Woody, quant à lui, prend place sur Voiture-balai, la planche à roulettes.

« Remonte La Grenouille ! » ordonne-t-il à un char d'assaut à tête de lapin qui s'empresse d'exécuter l'ordre. Ce dernier tourne la clé du mécanisme d'une grenouille en plastique munie de grosses roues.

Derrière la porte, Scud aboie méchamment. Chacun prend place en attendant le signal de Woody.

Pendant ce temps, K-nar et Gambettes s'introduisent dans le conduit de ventilation et se retrouvent au-dessus de la porte d'entrée quelques minutes plus tard.

K-nar se noue autour de la taille le fil à pêche de Gambettes. Il prend son élan, se balance de droite et de gauche, une fois, deux fois, trois fois, jusqu'à ce qu'il atteigne la sonnette.

Ding Dong !

Woody abaisse le bras.

« En avant ! »

Le jouet mutant perché tout en haut de la « colonne » tourne la poignée et ouvre la porte de la chambre. Remontée à bloc, La Grenouille entre alors en action. Elle passe en trombe entre les pattes de Scud, puis elle dévale le couloir. L'affreux chien se lance aussitôt à sa poursuite.

De son côté, K-nar donne un autre coup de sonnette.

« J'y vais ! » dit Anna à sa mère.

Elle ouvre : personne. La Grenouille fonce alors à l'extérieur de la maison. Anna se retourne en entendant Scud descendre l'escalier à fond de train.

K-nar attrape la Grenouille avec sa ventouse. L'instant d'après, Gambettes les hisse tous les deux à l'abri, en rembobinant son fil...

Dans sa précipitation, Scud bouscule Anna qui perd l'équilibre et tombe dans le hall. Le chien s'arrête, regarde autour de lui et voit disparaître sa proie dans le trou du conduit de ventilation ! Il est tombé dans le piège... Furieux, il tente de faire demi-tour, mais Anna, fort mécontente, lui claque la porte au nez.

« Espèce d'idiot ! »

Pendant ce temps, Woody et ses complices, entassés sur Voiture-balai, déboulent dans la cuisine. Ils s'engouffrent tous par une petite ouverture aménagée dans la porte pour laisser sortir le chien. Ça y est, ils sont libres !

Ils se cachent en vitesse dans la cour tandis que Woody contourne la maison, à l'abri derrière les buissons. Sans bruit, il écarte les branchages pour observer ce qui se passe dans le jardin. Le spectacle est édifiant : Buzz l'Éclair, avec sa fusée sur le dos, est attaché à une espèce de plate-forme de lancement...

Le shérif se précipite.

« Tiens, c'est toi ! Aide-moi à me dégager ! supplie l'astronaute à voix basse.

– Chuuuut ! Ne t'inquiète pas, tout va s'arranger. »

Et Woody se laisse doucement tomber dans l'herbe...

« Qu'est-ce qui te prend ? » demande Buzz, éberlué.

Impossible de lui expliquer, car Sid surgit à cet instant précis. Woody et Buzz l'Éclair se figent dans leur position habituelle.

« À vous, Centre de Contrôle de Houston. Tout est fin prêt. Je demande l'autorisation de procéder au lancement ! » déclare le petit garçon.

Apercevant Woody allongé par terre, il le ramasse, visiblement surpris de le trouver là.

« Comment es-tu arrivé ici, toi ? Enfin... »

Il sort une allumette de sa poche et la fiche dans la veste de son gilet. Moyennant quoi il jette le petit cow-boy sur le barbecue...

« Ha, ha ! Je te ferai passer sur le gril tout à l'heure, ricane-t-il. Houston, je m'excuse de ce retard. Pouvons-nous procéder au tir ? demande Sid, en se mettant la main sur la bouche, comme s'il parlait dans un micro. Compris. Autorisation accordée. Le compte à rebours commence. Dix, neuf, huit, sept, six... »

Sid gratte une allumette et l'approche de la

mèche. Mais une voix aigrelette l'interrompt :

« Les mains en l'air ! »

Sid se fige, puis il se retourne.

« Hein ? »

Woody est toujours couché sur le gril, immobile. Sid est sûr et certain de ne pas avoir tiré sur sa « corde vocale », et pourtant voilà que le shérif recommence à parler :

« L'un d'entre nous est de trop ici !

— Une minute, coco, veux-tu...

— DÉGAINE ! » gronde Woody.

Sid s'empare du mini cow-boy.

« On a empoisonné la mare, poursuit le petit personnage.

— Sapristi, ce jouet est complètement détraqué ! s'exclame Sid.

— Comment, c'est toi, le malade mental, qui me traite de détraqué ? »

Sid écarquille les yeux.

« Réponds-moi, quand je te parle, poursuit Woody.

— Quoi ?!... »

Sid secoue Woody comme un prunier. Qu'est-ce que cela signifie ? Pourquoi ce diable de pantin articulé s'adresse-t-il à lui ? Et puis d'abord, pourquoi lui raconte-t-il des choses pareilles ?

« Cela ne nous plaît pas du tout d'être dynamités, maltraités, détruits ou écrabouillés ! déclare Woody.

– Je... Mais... Qui ça, nous ? balbutie Sid.

– Nous autres, les jouets, tes jouets », précise le cow-boy.

Woody a du mal à réprimer un sourire : de tous les coins du jardin, les jouets sortent de leur cachette, comme les créatures monstrueuses d'un film d'horreur...

Terrifié, Sid se retrouve encerclé par ses victimes, les petits personnages qu'il a délibérément mutilés.

« Désormais, reprend Woody, tu devras prendre soin de tes jouets. Sinon, nous le saurons vite, car rien ne nous échappe... »

Sid, horrifié, dévisage le shérif qui lui fait la leçon. Au même instant, il remarque un attroupement de jouets !

« Alors, mon garçon, tâche de bien te conduire, d'accord ? » conclut Woody en agitant l'index.

C'en est trop. Sid pousse un hurlement. Lâchant le shérif, il s'enfuit en courant. Il a tellement peur qu'en entrant dans la maison il bouscule Anna qui serre sa poupée dans ses bras.

« Les jouets sont vivants ! » hurle le garçon.

Il avance la main pour toucher Janie. Anna esquisse un mouvement de recul. Mais, à sa grande surprise, au lieu de lui faire du mal, il caresse maladroitement la poupée :

« Tu es jolie, très jolie... » bredouille-t-il.

Et il monte s'enfermer dans sa chambre.

Anna hoche la tête, vraiment très surprise. Décidément, elle ne comprendra jamais son frère...

Tous les jouets cassés, tordus et démantibulés se rassemblent autour de Woody et lui font la fête. Le shérif leur serre la main, quand ils en ont, ou bien il leur donne une tape dans le dos...

« Bien joué, les amis ! Vous lui avez fait une peur bleue en apparaissant tout d'un coup ! » s'esclaffe-t-il.

« Woody ! »

Toujours attaché à sa plate-forme de lancement, Buzz l'Éclair lui adresse un geste amical.

« Merci, mon vieux ! »

Ils échangent une poignée de main lorsqu'un coup de Klaxon les fait sursauter : c'est le camion de déménagement. À travers la clôture, ils aperçoivent Mme Davis, tout émue, écraser une larme.

« Dites au revoir à la maison, les enfants !
– Au revoir ! » lance Andy.

« Woody ! Ils sont prêts à partir », s'exclame Buzz l'Éclair.

La portière du véhicule se referme. Cette fois, les Davis s'en vont pour de bon.

Woody se dépêche de détacher son ami, mais

il n'a pas le temps de lui ôter son diable de projectile. Tous les deux s'élancent vers la clôture. Si le petit shérif se glisse facilement entre les planches, l'astronaute reste coincé à cause de sa maudite fusée. Il appelle son compagnon au secours.

« Vite, aide-moi ! »

Chapitre 19

Woody panique. Il fait demi-tour et aide Buzz à franchir la clôture qui les sépare de la maison d'Andy. Ils prennent ensuite leurs jambes à leur cou pour essayer de rattraper la voiture. Mais celle-ci s'éloigne rapidement, et bientôt, ils la perdent de vue...

TUT ! TUT !

Voilà qu'ils manquent de se faire écraser par le camion de déménagement qu'ils évitent de justesse ! Buzz l'Éclair se lance aussitôt à sa poursuite.

« Viens ! » hurle-t-il à Woody.

Scud, qui se morfond devant la maison, se redresse en apercevant les deux petits personnages courir dans la rue.

Buzz l'Éclair bondit et réussit à attraper une sangle qui dépasse de l'arrière du camion. Il s'y cramponne, et lentement, à la force du poignet, il parvient à se hisser, à l'arrière du véhicule. Aveuglé par les gaz d'échappement, Woody a beaucoup moins de chance et Buzz l'Éclair l'encourage.

« Allez, du nerf, tu y es presque ! »

Il recommence, et cette fois sa tentative est couronnée de succès. Hélas ! à peine vient-il de saisir la sangle que Scud lui plante ses crocs dans la jambe !

« Va-t'en, sale bête ! »

Ses mains glissent le long de la courroie. Il commence à faiblir.

« Tiens bon ! lui lance Buzz l'Éclair.

— Je n'y arriverai pas. Adieu. Occupe-toi d'Andy pour moi...

— Non ! Il n'est pas question que je t'abandonne. »

Courageusement, Buzz l'Éclair saute du véhicule et bondit sur Scud.

Le feu est passé au rouge. Le shérif en profite pour grimper dans le camion et ouvrir la porte arrière. À l'intérieur, plusieurs caisses portent l'inscription : « JOUETS D'ANDY ». Il saute sur l'une d'elles et en soulève le couvercle.

M. Patate, Rex et deux ou trois autres amis clignent des yeux, aveuglés par la lumière du jour.

« Qu'est-ce qui se passe ? pleurniche Rex.

— Woody ! s'exclame Zig Zag. Comment estu arrivé jusque-là ? »

Mais Woody n'a pas le temps de répondre,

tout occupé à fouiller dans une autre caisse.

« Ah, te voilà ! » s'exclame-t-il, en extrayant Karting, la fameuse voiture télécommandée qui lui a valu tant d'ennuis.

Il se place à l'arrière du camion et jette Karting dans la rue, sans autre forme de procès.

« Mais qu'est-ce qu'il fabrique encore ? s'inquiète M. Patate. C'est une manie !

– Oh non, il ne va pas recommencer ! » se désole Rex.

À l'aide de la télécommande, Woody dirige Karting vers Buzz l'Éclair. Celui-ci s'est réfugié sous une voiture en stationnement pour échapper à Scud. Dès que la voiture arrive à sa portée, Buzz saute dedans. Le feu passe au vert, et le camion redémarre. Woody se débrouille pour que l'auto téléguidée les suive. Évidemment, Scud la prend en chasse, mais le chien est bloqué par la circulation à un carrefour. De ce côté-là, tout danger est écarté.

L'ennui, c'est que les jouets dans le camion ne comprennent pas du tout ce que fait Woody, sinon qu'il continue à vider les caisses où on les a rangés. Et ça ne leur plaît pas du tout.

« Attrapez-le ! » ordonne M. Patate.

Rocky le catcheur le saisit et le soulève à bout de bras. Comme Woody tient toujours la télécommande, Karting zigzague sur la route...

« Jette-le par dessus bord ! grogne M. Patate.

– Non, attendez ! Vous ne comprenez pas. Buzz nous suit, il faut l'aider à monter... »

Mais c'est trop tard. Ses amis ne croient pas un mot de ce qu'il leur raconte. »

« Adieu, Woody ! »

Et hop ! il se retrouve carrément jeté à la rue. Le pauvre atterrit au beau milieu de la chaussée et manque de se faire écraser. Par chance, Buzz l'Éclair réussit à le récupérer. Ouf ! Il l'a échappé belle...

« Dépêchons-nous de rattraper le camion », lance le shérif.

Pour aller plus vite, il enclenche le turbo à l'aide de la télécommande. La voiture électrique fait un bond en avant.

Lenny, la mini-paire de jumelles qui observe toute la scène, voit Woody et Buzz les prendre en chasse dans le petit véhicule.

« Eh, regardez ! Woody et Buzz essaient de nous rejoindre ! »

La Bergère s'empare de Lenny pour en avoir le cœur net.

« Ma parole, mais c'est vrai, ils nous suivent ! Woody ne mentait pas, Buzz est avec lui !

– Oh là là ! Qu'est-ce que nous avons fait ! gémit Zig Zag.

– Vite, Rocky, abaisse la rampe ! » ordonne la Bergère.

Sitôt dit, sitôt fait.

« Surtout ne me lâchez pas ! » lance Zig Zag.

Il se laisse glisser sur la route et tend la patte à Woody, sous les acclamations de ses amis.

« Hourra ! »

Mais Karting perd de la vitesse. Zig Zag, dont le milieu du corps est est un long ressort, s'allonge démesurément...

« Accélère ! s'écrie Woody.

— Impossible, les piles sont usées », répond Buzz l'Éclair.

Zig Zag est maintenant complètement distendu. Lorsque Woody lâche prise, le chien se contracte brusquement et revient en un éclair à l'intérieur du camion, bousculant tous les jouets au passage.

Karting ralentit, tousse, et finit par s'arrêter... Désespérés, Woody et Buzz l'Éclair voient le camion s'éloigner.

Soudain, Buzz l'Éclair a une idée lumineuse :

« La fusée ! s'exclame-t-il.

— Oui ! Génial ! »

Woody sort l'allumette que Sid lui a mis dans la poche, et se dépêche de la gratter. Mais juste à ce moment-là, une voiture passe et l'appel d'air souffle la flamme !

« Oh non ! »

Trop, c'est trop. Woody tombe à genoux et fond en larmes.

Buzz s'efforce de le réconforter ; il se penche pour lui donner une tape sur l'épaule. Sans s'en rendre compte, il filtre les rayons du soleil avec sa bulle en plexiglas : une petite tache lumineuse danse sur la main du shérif. Woody fait aussitôt le rapprochement avec la torture que lui a infligée Sid. Il suffit de recourir à ce procédé pour enflammer la mèche de la fusée !

Ils se mettent aussitôt à l'ouvrage. Cela prend peu de temps, et rapidement la mèche commence à fumer, une flamme lèche le cordon...

« Ça y est ! Prochain objectif, Andy ! » annonce Buzz l'Éclair.

Woody se cramponne à la voiture, et Buzz agrippe Woody de toutes ses forces, en dirigeant la fusée droit devant eux.

D'un seul coup la fusée décolle, propulsant Karting à une allure folle. Elle vole littéralement en rase-mottes au-dessus de la chaussée. Woody s'efforce tant bien que mal de garder le cap. Mais à cette vitesse, c'est un tour de force !

Bientôt, le camion est en vue. Bayonne et M. Patate pressent leurs amis de se mettre sur le côté. Au moment où Karting va s'engouffrer dans le camion, Woody perd le contrôle. La fusée monte en flèche dans le ciel avec Woody et Buzz l'Éclair qui se retrouvent à plus de cent mètres dans les airs !

« Elle ne va pas tarder à exploser, et nous avec ! s'alarme Woody.

– Ne t'inquiète pas ! »

Buzz l'Éclair appuie sur un bouton de son tableau de bord. Ses ailes se déploient et les débarrassent de la fusée...

Mort de peur, Woody se cache le visage dans les mains, mais Buzz maîtrise parfaitement la situation. Avec la dextérité d'un véritable astronaute, il réussit à descendre en vol plané, à passer en dessous des fils électriques et à reprendre de l'altitude pour rattraper le camion...

Mais leur vitesse est telle qu'ils le dépassent.

« Nous l'avons doublé ! s'écrie Woody.

– Ce n'est pas lui que je vise », répond Buzz l'Éclair.

Il vire sur la gauche, fait un looping, pique sur la voiture de Mme Davis, s'introduit par le toit ouvrant et atterrit dans un carton posé sur la banquette arrière, tout près d'Andy !

Au même instant, le petit garçon, qui regardait par la vitre, tourne la tête et les aperçoit, assis sagement l'un à côté de l'autre à quelques centimètres de lui...

« Ça alors ! s'exclame-t-il, stupéfait.

– Que se passe-t-il ? demande sa mère.

– Woody et Buzz ! Ils sont là !

– Où ça ?

– Dans le carton !

– Tu vois bien, je t'avais dit que tu les retrou-
verais », observe sa mère en riant.

Andy les prend tendrement dans ses bras.

Mme Davis tourne à gauche au prochain
carrefour. Andy, Molly et sa mère, ainsi que
Woody et Buzz l'Éclair, empruntent alors la
route qui conduit à leur nouveau domicile, où
ils vont vivre tous ensemble de nouvelles aventures formidables.

Au-dessus de leurs têtes, comme un feu
d'artifice dans la nuit d'été, on entend une
déflagration. C'est la fusée qui explose en l'air,
juste comme la nuit tombe...

Épilogue

Quelques mois plus tard, à l'autre bout de la ville...

Il est encore très tôt. Le soleil se lève et scintille sur la neige tombée pendant la nuit.

Une couronne de Noël est accrochée à la porte d'entrée. À travers la baie vitrée couverte de givre, on aperçoit la famille d'Andy, rassemblée autour du sapin.

On dirait presque un tableau, ou une carte postale...

Dans la chaleur douillette de la maison flotte le parfum du chocolat chaud, et on entend les accents des chants de Noël.

Malgré l'heure matinale, Andy est déjà debout et s'apprête à ouvrir ses cadeaux.

« Lequel choisir ? demande-t-il.

– Si tu laissais ta petite sœur commencer ? répond sa mère en souriant.

Ravi, Andy tend à sa sœur le cadeau qu'il lui a acheté. Molly pousse un cri de joie.

Au milieu du sapin, une petite lumière se déplace légèrement. Un soldat vert inspecte les environs à la jumelle. Derrière lui, ses hommes grimpent à l'arbre en s'accrochant aux guirlandes. L'un d'eux tourne le bouton de la petite radio portative...

Le Sergent peut être satisfait. L'opération Cadeaux de Noël se déroule exactement comme prévu.

Posé sur la table de nuit, dans la chambre d'Andy, l'appareil grésille.

« Ici Guirlande ! À vous, Sapin ! Sapin, vous m'entendez ? »

Tout le monde reconnaît la voix du Sergent.

Buzz L'Éclair s'approche du récepteur.

« Silence, vous autres ! C'est le grand moment », déclare Bayonne.

Il règne une joyeuse animation dans la pièce où tout le monde s'amuse, et les conversations vont bon train entre les jouets réunis sur le parquet. Rien à voir avec le climat tendu qui prévalait l'année précédente, le jour de l'anniversaire d'Andy...

Woody se dirige vers la table de nuit. Soudain, il est happé par une sorte de crochet. La Bergère lui lance une œillade.

« Bonjour, shérif ! »

Le shérif en question se masse le cou.

« Écoute, tu n'es pas obligée d'employer les

grands moyens pour me signaler ta présence !
proteste-t-il.

– Hé !... »

La demoiselle se trémousse en le menaçant
avec sa houlette de bergère.

Il lève les yeux au ciel.

« Dis donc, c'est du gui, n'est-ce pas ? »
demande Woody.

La Bergère opine du chef.

« Joyeux Noël, Woody ! » et elle l'embrasse
comme une star de cinéma.Elle l'enlace et lui
vole un baiser passionné.

« Du calme, tout le monde. Chuuuut ! »
demande Buzz l'Éclair.

Le silence retombe dans la pièce.

« On vient d'offrir à Molly… une Mme
Patate ! Je répète, une Mme Patate ! annonce le
Sergent.

– Félicitations, mon vieux ! Ce coup-ci, tu
passes à la casserole ! plaisante Bayonne, en
donnant une bourrade à son vieux complice.

– Génial ! Je ferais peut-être mieux de me
raser », reprend l'heureux élu qui enlève aussitôt sa moustache.

Woody s'installe sur le lit à côté de son ami
Buzz l'Éclair.

Ce dernier, très poli, fait semblant de ne pas
voir les traces de rouge à lèvres que Woody a
sur les joues...

« À vous, Sapin. Andy est en train d'ouvrir... »

Un crépitement rend inaudible la suite du message.

Buzz colle l'oreille au récepteur.

« ... une grosse boîte... je ne vois pas bien... »

Le poste n'arrêtant pas de grésiller, Buzz finit par taper dessus.

« Tu ne vas quand même pas te mettre dans tous tes états, dis ? observe Woody, en relevant son chapeau de cow-boy.

— Mais non, voyons ! Quelle question ! réplique Buzz l'Éclair, piqué au vif.

— Qu'est-ce que tu veux qu'Andy reçoive de pire que toi, hein ? » s'esclaffe Woody, en le prenant par les épaules.

En bas, Andy, qui vient de déballer son cadeau, a déjà répondu à la question.

« Un petit chien ! »

Imprimé en Italie par Rotolito
Dépôt légal n° 3312 – Mars 1996
46.44.1201.01/6 – ISBN 2.23000554.5
Loi n° 49-956 du 16 juillet 1949
sur les publications destinées à la jeunesse.